FERDINAND VON SCHIRACH

# TABU

ROMAN

**btb**

Penguin Random House Verlagsgruppe FSC® N001967

14. Auflage
Neuausgabe März 2017
btb Verlag in der Penguin Random House Verlagsgruppe GmbH,
Neumarkter Str. 28, 81673 München
Zuerst erschienen im Piper Verlag, München, 2013
Copyright © 2016 Ferdinand von Schirach
Umschlaggestaltung: buxdesign | München
nach einem Motiv von © Getty Images/Martin Barraud
Autorenfoto: Michael Mann | © Ferdinand von Schirach
Druck und Einband: GGP Media GmbH, Pößneck
Klü · Herstellung: sc
Printed in Germany
ISBN 978-3-442-71498-8

www.btb-verlag.de
www.facebook.com/penguinbuecher

*Sobald sich das Licht der Farben*
*Grün, Rot und Blau*
*in gleicher Weise mischt*
*erscheint es uns als Weiß.*

Farbenlehre nach Helmholtz

An einem hellen Frühlingstag des Jahres 1838 wurde in Paris auf dem Boulevard du Temple eine neue Wirklichkeit erschaffen. Sie veränderte das Sehen, das Wissen und die Erinnerung der Menschen. Und schließlich veränderte sie die Wahrheit.

Daguerre war ein französischer Theatermaler. Er wollte Kulissen herstellen, die aussahen wie die Wirklichkeit selbst. Durch ein Loch in einem Holzkasten ließ er Licht auf jodierte Silberplatten fallen. Quecksilberdämpfe machten sichtbar, was sich vor dem Kasten befand. Aber es dauerte lange, bis die Silbersalze reagierten: Pferde und Spaziergänger waren zu schnell, Bewegung war noch unsichtbar, das Licht gravierte nur Häuser, Bäume und Straßen auf die Platten. Daguerre hatte die Fotografie erfunden.

Auf seinem Foto von 1838 ist in den diffusen Schatten der Kutschen und Menschen merkwürdig deutlich ein Mann zu erkennen. Während alles um ihn rast, steht er still, die Hände auf dem Rücken verschränkt. Nur sein Kopf ist verschwommen. Der Mann wusste nichts von Daguerre und seiner Erfindung, er war ein Passant, der sich die Schuhe putzen ließ. Der Apparat konnte ihn und den Schuhputzer sehen – es waren die beiden ersten Menschen auf einem Foto.

Sebastian von Eschburg hatte oft an den bewegungslosen Mann und seinen zerfließenden Kopf gedacht. Aber erst jetzt, erst nachdem alles geschehen war und niemand die Dinge mehr rückgängig machen konnte, verstand er es: Dieser Mann war er selbst.

**Grün**

# 1

Auf der halben Strecke zwischen München und Salzburg, etwas abseits der großen Straßen, liegt das Dorf Eschburg. Von der Burg, die dem Dorf seinen Namen gegeben hatte, gab es oben auf dem Hügel nur noch ein paar Steine. Einer der Eschburgs war im 18. Jahrhundert bayerischer Gesandter in Berlin gewesen, und als er zurückkam, hatte er das neue Haus am See gebaut.

Anfang des 20. Jahrhunderts hatten die Eschburgs das letzte Mal Geld gehabt. Damals besaßen sie eine Papiermühle und eine Spinnerei. 1912 ertrank der erstgeborene Sohn und Erbe beim Untergang der Titanic, worauf man in der Familie später ein wenig stolz war. Er hatte eine Erste-Klasse-Kabine gebucht und war nur mit seinem Hund gereist. Er hatte darauf verzichtet, in ein Rettungsboot zu steigen, vermutlich weil er zu betrunken war.

Sein jüngerer Bruder verkaufte die Unternehmen der Familie, spekulierte und verlor während der Inflation der Zwanzigerjahre den größten Teil des Vermögens. Danach war immer zu wenig Geld da, um das Haus richtig zu renovieren. Der Putz blätterte von den Mauern, die beiden Seitenflügel wurden im Winter nicht geheizt und auf den Dächern wuchs Moos. Im Frühjahr und im Herbst standen auf den Speichern Blecheimer, die den Regen auffingen.

Fast alle Eschburgs waren Jäger und Reisende gewesen und 250 Jahre lang hatten sie die Zimmer des Hauses mit den Dingen gefüllt, die sie mochten. In der Eingangshalle standen drei Schirmständer aus Elefantenfüßen, daneben hingen mittelalterliche Saufedern an der Wand – lange Spieße, die zur Wildschweinjagd benutzt wurden. Zwei ausgestopfte Krokodile lagen ineinander verbissen im oberen Flur, eines hatte ein Glasauge verloren, dem anderen fehlte ein Teil seines Schwanzes. Ein riesiger Braunbär stand im Hauswirtschaftsraum, am Bauch waren ihm fast alle Haare ausgefallen. In der Bibliothek hingen die Schädel von Kudus und Oryxantilopen, auf einem Regal stand zwischen Goethe und Herder der Kopf eines schielenden Gibbons. Neben dem Kamin lagen Trommeln, Naturhörner und Lamellophone aus dem Kongo. Zwei afrikanische Fruchtbarkeits-götter aus Ebenholz, schwarz und ernst, saßen neben dem Eingang zum Billardzimmer.

In den Fluren hingen Heiligenbilder aus Polen und Russland neben vergrößerten Briefmarken aus Indien und Tuschzeichnungen aus Japan. Es gab chinesische Pferdchen aus Holz, Speerspitzen aus Südamerika, die gelben Fangzähne eines Eisbären, den Kopf eines Schwertfisches, einen Hocker mit den vier Hufen einer Säbelantilope, Straußeneier und hölzerne Truhen aus Indonesien, zu denen die Schlüssel längst verloren gegangen waren. In einem Gästezimmer standen gefälschte Barockmöbel aus Florenz, in einem anderen ein Vitrinentisch mit Broschen, Zigarettenetuis und einer Familienbibel mit silbernem Schloss.

Ganz hinten im Park war ein kleiner Stall mit fünf Pferdeboxen. An den Wänden wuchs Efeu und zwischen den Pflastersteinen im Hof Gras. Die Farbe war von den Fensterläden abgeplatzt, der Rost hatte das Wasser braun werden lassen. In zwei Boxen trocknete Kaminholz, in einer anderen wurden im Winter Pflanzenkübel, Streusalz und Wildfutter aufbewahrt.

Sebastian kam in diesem Haus zur Welt. Eigentlich wollte seine Mutter im Krankenhaus in München entbinden, aber der Wagen hatte zu lange in der

Kälte gestanden und sprang nicht an. Während der Vater weiter versuchte, den Wagen zu starten, setzten ihre Wehen ein. Der Apotheker und seine Frau kamen aus dem Dorf, Sebastians Vater wartete auf dem Flur vor ihrem Zimmer. Als der Apotheker ihn zwei Stunden später fragte, ob er die Nabelschnur durchschneiden wolle, brüllte er ihn an, der Anlasser sei doch kaputt. Später entschuldigte er sich dafür, aber im Dorf rätselte man noch lange, was das bedeuten sollte.

Kinder waren in Sebastians Familie noch nie der Mittelpunkt gewesen. Man brachte ihnen bei, wie man das Besteck beim Essen hält, wie ein Handkuss gegeben wird und dass ein Kind möglichst wenig reden sollte. Aber die meiste Zeit kümmerte man sich nicht um sie. Als Sebastian acht Jahre alt wurde, durfte er das erste Mal bei seinen Eltern am Tisch essen.

Sebastian konnte sich nicht vorstellen, jemals woanders zu leben. Wenn er mit seiner Familie in die Ferien fuhr, fühlte er sich fremd in den Hotels. Er war froh, wenn er zurückkam und alles noch da war: die dunklen Dielen auf den Fluren, die heruntergetretene Steintreppe und das weiche Licht am Nachmittag in der schiefen Kapelle.

In Sebastians Leben hatte es schon immer zwei Welten gegeben. Die Netzhaut seiner Augen nahm elektromagnetische Wellen zwischen 380 und 780 Nanometer wahr, sein Gehirn übersetzte sie in 200 Farbtöne, 500 Helligkeiten und 20 verschiedene Weißanteile. Er sah, was andere Menschen sehen. Aber *in* ihm waren die Farben anders. Sie hatten keine Namen, weil es nicht genug Worte für sie gab. Die Hände des Kindermädchens waren aus Cyan und Amber, seine Haare leuchteten für ihn violett mit einer Spur Ocker, die Haut des Vaters war eine blasse, grünblaue Fläche. Nur seine Mutter hatte keine Farbe. Lange Zeit glaubte Sebastian, sie bestehe aus Wasser, und erst wenn er in ihr Zimmer komme, nehme sie die Gestalt an, die alle kannten. Er bewunderte die Schnelligkeit, mit der ihr jedes Mal die Verwandlung gelang.

Als er lesen lernte, bekamen auch die Buchstaben Farben. Das »A« war so rot wie die Strickjacke der Lehrerin in der Dorfschule oder wie die Fahne der Schweiz, die er letzten Winter auf der Berghütte gesehen hatte, ein dickes, kräftiges, unmissverständliches Rot. Das »B« war viel leichter, es war gelb und roch wie die Rapsfelder auf dem Weg zur Schule. Es schwebte im Raum über dem hellgrünen »C«, höher und freundlicher als das dunkelgrüne »K«.

Da alle Dinge neben der sichtbaren noch die andere, die unsichtbare Farbe hatten, begann Sebastians Gehirn diese Welt zu ordnen. Nach und nach entstand eine Landkarte aus Farben, sie hatte Tausende Straßen, Plätze und Gassen, und jedes Jahr kam eine neue Ebene dazu. Er konnte sich in dieser Karte bewegen, er fand durch die Farben seine Erinnerungen. Die Karte wurde zu einem vollständigen Bild seiner Kindheit. Der Staub des Hauses hatte dort die Farbe der Zeit: ein dunkles, sanftes Grün.

Er redete nicht darüber, er glaubte noch, alle Menschen würden so sehen. Er ertrug es nur nicht, wenn seine Mutter ihm bunte Pullover anzog, dann wurde er wütend, zerriss sie oder vergrub sie im Garten. Schließlich konnte er durchsetzen, nur noch die dunkelblauen Bauernkittel aus der Gegend tragen zu dürfen, und bis er zehn Jahre alt war, blieben sie seine tägliche Kleidung. Manchmal zog er im Sommer eine Mütze auf, nur weil sie die richtige Farbe hatte. Das Au-pair-Mädchen ahnte, dass Sebastian anders war. Er bemerkte, wenn sie ein neues Parfum oder einen neuen Lippenstift trug. Manchmal rief sie ihren Freund in Lyon an, sie sprach dann französisch am Telefon, aber es schien ihr, als würde Sebastian die fremde Sprache verstehen, als reiche ihm dafür der Klang ihrer Stimme.

Mit zehn Jahren kam Sebastian ins Internat. Sein Vater, sein Großvater und sein Urgroßvater waren schon dort gewesen und da die Familie kein Geld mehr hatte, bekam er ein Stipendium. Die Internatsleitung schickte einen Brief nach Hause. Es war genau festgelegt, welche Kleidung jeder Junge mitbringen durfte, wie viele Hosen, Pullover und Schlafanzüge. Überall musste die Köchin Nummern einnähen, damit die Wäscherei des Internats die Sachen der Kinder auseinanderhalten konnte. Die Köchin weinte, als sie den Koffer vom Speicher holte, und Sebastians Vater sagte ärgerlich, sie solle aufhören mit dem Getue, der Junge komme ja nicht ins Gefängnis. Sie weinte trotzdem, und obwohl der Brief das ausdrücklich verbot, legte sie ein Glas Marmelade und etwas Geld zwischen die frischen Hemden.

Eigentlich war sie keine Köchin, Personal gab es in dem Haus längst nicht mehr. Sie gehörte zur Familie, eine weit entfernte Tante, die in besseren Tagen Hausdame und Geliebte eines deutschen Konsuls in Tunesien gewesen war. Der Konsul hatte ihr nichts hinterlassen. Sie war froh, bei den Eschburgs unterzukommen. Manchmal wurde ihr ein Gehalt bezahlt, aber meistens blieb es bei freiem Wohnen und Essen.

Als Sebastian von seinem Vater ins Internat gebracht wurde, hätte er gerne die weißen Blüten des Hahnenfußes mitgenommen, die auf dem See schwammen, und die Bachstelzen und die Platanen vor dem Haus. Sein Hund lag in der Sonne, sein Fell war warm und Sebastian wusste nicht, was er zu ihm sagen sollte. Der Hund starb ein halbes Jahr später.

## 2

Während der Autofahrt ins Internat durfte Sebastian vorne sitzen, hinten in dem alten Wagen wurde ihm auf längeren Strecken schlecht. Er sah aus dem Fenster, er stellte sich vor, dass die Welt eben erst erbaut würde und dass der Vater nicht zu schnell fahren dürfe, sonst würde sie nicht rechtzeitig fertig.

Nach den Obstgärten am großen See, den der Vater das Schwäbische Meer nannte, kamen sie an die Schweizer Grenze. Zwischen Deutschland und der Schweiz sei Niemandsland, sagte der Vater. Sebastian überlegte, wie die Menschen im Niemandsland aussehen, welche Sprache sie sprechen und ob sie überhaupt eine Sprache haben.

Der Grenzbeamte wirkte würdevoll in seiner Uniform. Er kontrollierte Sebastians neuen Pass, er fragte den Vater sogar, ob er etwas zu verzollen habe.

Sebastian starrte die Pistole des Beamten an, sie steckte in einem abgegriffenen Halfter, und er bedauerte es, dass der Mann sie nicht ziehen musste.

Auf der anderen Seite der Grenze wechselte der Vater Geld und kaufte Schokolade an einem Kiosk. Er sagte, man müsse das immer tun, wenn man in die Schweiz fahre. Jeder Riegel war einzeln verpackt, das Stanniolpapier war mit winzigen Fotos beklebt: der Rheinfall bei Schaffhausen, das Matterhorn, Kühe und Milchkannen vor einer Scheune, der Zürichsee.

Sie fuhren höher in die Berge, es wurde kühler, sie kurbelten die Scheiben hoch. Die Schweiz sei eines der größten Länder der Erde, sagte der Vater, man müsste nur die Berge flach ziehen, dann wäre das Land so groß wie Argentinien. Die Straßen wurden enger, sie sahen Bauernhöfe, Kirchtürme aus Feldstein, Flüsse, einen Bergsee.

Als sie durch ein Dorf kamen, das besonders ordentlich aussah, sagte der Vater, Nietzsche habe hier gewohnt. Er zeigte auf ein zweistöckiges Haus, Geranien standen auf den Fensterbänken. Sebastian wusste nicht, wer dieser Nietzsche war, aber der Vater hatte es so traurig gesagt, dass er sich den Namen merkte.

Sie fuhren zwischen den Felsen noch etwa dreißig Kilometer weiter und schließlich parkten sie auf dem Marktplatz einer kleinen Stadt. Weil sie etwas zu früh angekommen waren, gingen sie noch durch die Gassen. Es gab zwei- und dreistöckige Bürgerhäuser mit winzigen Fenstern, Torbögen und dicken Mauern gegen die harten Winter. Von hier aus konnten sie die Gebäude des Internats sehen, eine barocke Klosteranlage. Arkaden umschlossen einen Marienbrunnen, dahinter standen die beiden Türme der gewaltigen Stiftskirche.

Der Internatsleiter empfing sie, er trug die schwarze Kutte der Benediktiner. Sebastian saß neben seinem Vater auf dem Sofa. Eine Madonna stand in einem Wandauslass hinter Glas. Sie hatte einen winzigen Mund und trübe Augen, das Kind auf ihrem Arm sah krank aus. Sebastian war unruhig. In seiner Hosentasche war eine Vogelpfeife, ein sehr glatter Stein, den er letztes Jahr am Strand gefunden hatte, und der Rest einer Orangenschale. Während die Männer Dinge besprachen, die Sebastian nicht verstand, zerriss er mit Daumen und Zeigefinger die Orangenschale in seiner Tasche in immer kleinere Stücke. Als die Erwachsenen endlich fertig waren und Sebastian aufstehen durfte, verabschiedete sich der Vater von dem Pater. Auch Sebastian wollte dem fremden Mann die Hand geben, aber der sagte nur: »Nein, nein, du bleibst jetzt hier.«

Die winzigen Stücke der Orangenschale waren aus Sebastians Tasche gefallen, sie hatten sich auf dem

Sofa verteilt und der Stoff hatte dunkle Flecken. Der Vater entschuldigte sich, aber der Pater lachte. Es sei nicht schlimm, sagte er. Sebastian wusste, dass der fremde Mann log.

# 3

Das Leben im Kloster war seit Jahrhunderten auf das Lesen und Schreiben ausgerichtet. Die Stiftsbibliothek war ein hoher Saal mit hellem Eichenboden, hier standen über 1400 Handschriften und über 200 000 gedruckte Bücher, die meisten in Leder gebunden. Die Mönche hatten im 11. Jahrhundert eine Schreibschule gegründet, im 17. Jahrhundert kam eine Druckerei dazu. Für die Schüler gab es eine zweite Bibliothek, einen Raum mit dunklen Holztischen und Messingleuchten. Unter den Kindern gab es Gerüchte über geheime Räume im Keller des Klosters mit verbotenen Büchern: Aufzeichnungen über Folter, über Hexenprozesse, Anleitungen zur Zauberei. Die Patres förderten das Lesen nicht, sie wussten, dass es sich für manche Kinder von alleine ergeben und für die anderen uninteressant bleiben würde.

Sebastian begann in der Abgeschiedenheit des Klosters zu lesen. Nach einiger Zeit störten ihn die Regeln im Internat nicht mehr, er gewöhnte sich an Früh- und Abendmessen, an den Unterricht, den Sport, die Lernzeiten. Es war dieser immer gleiche Rhythmus der klösterlichen Tage, der ihm die Ruhe gab, in den Büchern zu leben.

In den ersten Wochen vermisste er das Haus am See. Zwischen den Ferien durften die Kinder nicht nach Hause fahren, Telefonate mussten umständlich angemeldet werden. An jedem zweiten Sonntag rief Sebastian zu Hause an. Er stand dann in einer der kleinen Holzkabinen in der Eingangshalle des Klosters und der Pater an der Pforte stellte das Gespräch durch.

An einem der Sonntage war seine Mutter am Apparat. Sebastian wusste sofort, dass etwas nicht stimmte. Der Vater sei krank, sagte sie, aber es sei nicht schlimm. Als Sebastian auflegte, zitterten seine Knie. Plötzlich war er überzeugt, dass nur er den Vater retten könne. Er müsste dazu alleine durch die Viamalaschlucht wandern. Sebastian hatte Angst vor der Schlucht, vor dem Dunklen dort, den engen Wegen. Auf die Klassenwanderung war er nicht mitgekommen. »Via mala« – der »schlechte Weg«: 300 Meter hohe Felswände, glatt geschliffen und kalt, Steinstufen und Brücken.

Sebastian ging sofort los, er meldete sich nicht ab. Vor dem Internat nahm er den Bus. Erst unterwegs merkte er, dass er nur dünne Halbschuhe trug und keine Jacke mitgenommen hatte. Er war zwölf Jahre alt, er hatte Höhenangst, aber er musste es schaffen. Er ging sehr langsam. Auf den Brücken hielt er sich in der Mitte, er sah nicht in die Tiefe. Unter sich hörte er den Fluss. Er war so bleich, dass er mehrmals von Wanderern gefragt wurde, ob sie ihm helfen könnten. Nach drei Stunden hatte er es geschafft. Er fuhr zurück ins Kloster. Sie hatten ihn gesucht und natürlich verstand der Präfekt die Sache mit dem Vater nicht. Sebastian bekam eine Ohrfeige. Es machte ihm nichts: Er hatte den Vater gerettet.

Die Schule lag fast 2000 Meter hoch, die Winter begannen früh und dauerten lange. Im Internat wurde erst spät geheizt, die hohen Räume wurden nie richtig warm und auf den langen Fluren zog es. Sebastian freute sich immer über die ersten Tage im Schnee. Die Schlitten wurden aus den Kellern geholt und am Wochenende fuhren die Kinder Ski. Morgens lag eine dünne Schicht Raureif auf den Bettdecken und im Waschsaal kamen aus den Hähnen winzige Eiskristalle.

Jedes Jahr wurde Sebastian zu Beginn des Winters krank, er bekam eine Mittelohrentzündung und Fieber. In der Praxis des Arztes aus dem Dorf hing ein großes Schaubild von einem Ohr. Der Arzt zeigte Sebastian darauf die Haut, die Knorpel, Knochen und Nerven. Seine Haut sei vielleicht zu dünn, sagte der Arzt. Auf seinem Tisch lagen chromglänzende Instrumente, sie waren kalt und taten weh in dem kranken Ohr. Sebastian dachte an die Köchin zu Hause, die ihm die Umschläge mit fein geschnittenen Zwiebeln gegen die Schmerzen gemacht hatte. Sie hatte gesagt, von den Zwiebeln müsse man weinen, aber sie könnten auch heilen. Die Köchin hatte an seinem Bett gesessen, sie hatte von Tunesien erzählt, von den Gewürzen auf den Märkten in der Medina, von dem Wüstenluchs, der Ohren hatte, die wie Pinsel aussahen, und von der Hitze des Saharawindes, den sie Chehili nannte.

In den dunklen Monaten im Internat, wenn die Bücher nicht mehr ausreichten, wenn Gärtnerei, Sportplätze und Bänke vom Schnee bedeckt waren, retteten Sebastian die Farben in seinem Kopf.

# 4

Es war der erste Tag der großen Ferien. Sebastian hatte kaum geschlafen. Sie fuhren um vier Uhr früh ins Revier. Nachts hatte es geregnet, die Wiesen waren feucht, die Erde klebte an den Gummistiefeln und machte sie schwer. Der Vater trug die Doppelbüchse über der Schulter. Der Schaft rieb am Lodenmantel, der Stoff dort war mit den Jahren dünn geworden. Die Rosen und Goldlinien der englischen Gravuren waren kaum noch sichtbar, der Schaft war fast schwarz. Der Lodenmantel roch nach Kaninchen und Tabak. Sebastian dachte an das Gewehr, das ihm sein Vater zur Jagdprüfung versprochen hatte. Mit 17 könnte er die Prüfung machen, aber bis dahin würde es noch lange dauern.

Er ging gerne neben seinem Vater. Jagen ist eine ernste Sache, hatte der Vater oft gesagt, und Sebas-

tian verstand, was er meinte. Nur auf den Treibjagden war es anders. Im Hof des Jagdhauses gab es
dann Kartoffelsuppe, es war laut. Oft kamen neue
Gäste, »Frischlinge«, wie die Treiber sie heimlich
nannten. Sie trugen neue Mäntel und hatten neue
Gewehre. Man brachte die »Frischlinge« zu besonderen Plätzen, wo sie mit ihren Gewehren nichts
anstellen konnten. Sie redeten immer, auch während sie auf das Wild warteten. Sie sprachen über
ihre Arbeit in der Stadt oder über Politik oder über
irgendetwas anderes, und Sebastian wusste, dass sie
die Jagd nicht begriffen. Später wurde vor dem Jagdhaus die Strecke gelegt, die Tiere waren tot und
schmutzig. Sebastian ging nicht mehr mit auf die
Treibjagden. Aber wenn sie alleine waren und der
Vater kaum sprach, gehörte ihnen der Wald und
das Wild und es gab nichts Schmutziges und nichts
Falsches.

Sie stiegen auf den Hochsitz und warteten, bis der
Frühnebel sich aufgelöst hatte. Als der Rehbock auf
das Feld trat, gab der Vater Sebastian das Fernglas.
Es war ein kapitaler Sechserbock, er war groß und
stolz und er war sehr schön. »Wir haben noch Zeit«,
flüsterte der Vater. Sebastian nickte. Es war Anfang
August, die Schonzeit würde erst Mitte Oktober
beginnen. Er überlegte, warum der Vater überhaupt
ein Gewehr dabeihatte, wenn er es nicht benutzen

wollte. Aber dann dachte er, dass er später auch immer sein Gewehr mitnehmen würde.

Der Vater zog eine Zigarre aus dem Etui, das Leder war fleckig und alt, so wie alles alt war, was der Vater besaß. Von hier oben konnten sie weit ins Tal sehen, bis zu dem Kirchturm des Dorfes und an klaren Tagen noch weiter, bis zu den Alpen. Sebastian würde sich später an jede Einzelheit erinnern, an den Rauch der Zigarren, an den Geruch von Harz und von nasser Wolle und an den Wind in den Bäumen.

Sie wechselten sich mit dem Fernglas ab, es war so schwer, dass Sebastian sich mit den Ellbogen auf dem Querbalken abstützen musste. Lange beobachteten sie die Rehe.

Dann legte der Vater kurz an und schoss. Sie kletterten vom Hochsitz, Sebastian rannte über das Feld. Die Vorderläufe des Rehs sahen aus, als würde es noch laufen, sie waren abgeknickt und klein, die Augen standen offen, halbrund gewölbt und trüb, die rote Zunge war seltsam verdreht. Sebastian kannte die alte Sprache der Jäger, sie sagten Lichter anstelle von Augen und Äser anstelle von Maul. Der Vater hatte gesagt, Jäger seien abergläubisch und man dürfe im Wald keine normalen Worte benutzen, das Wild würde sonst gewarnt. Aber jetzt war das Reh tot und die Worte spielten keine Rolle mehr.

Der Vater beugte sich über das Tier, spreizte dessen Hinterläufe und kniete sich darauf. Er schnitt die Bauchdecke vom Darmausgang bis zur Kehle auf. Blut und Gedärme quollen hervor. Der Vater zog Pansen, Herz, Milz und Lunge aus dem Körper und legte sie neben sich ins Gras.

Sebastian fühlte sich wie damals, als er auf einer Wanderung in eine Schlucht geschaut hatte, er hatte sich nicht mehr lösen können. Er hatte in die Tiefe gestarrt, immer weiter, wehrlos und ohne Willen, bis der Vater ihn zurückgerissen hatte. Und jetzt war es dieser Schnitt, der Schnitt mit dem Messer seines Vaters. Er zog Sebastian an und stieß ihn gleichzeitig ab. Er konnte sich nicht mehr bewegen, er sah das Weiße in dem Körper des Rehs, die Muskelfasern und die Knochen. Endlich war der Vater fertig und legte das Reh über seine Schultern. Sebastian trug den Rucksack, er ging hinter dem Vater zurück zum Wagen. Es würde ein heißer Tag werden, die Wiesen begannen zu dampfen, das Licht wurde hart und es war besser, im Schatten der Bäume zu bleiben.

Zu Hause saß Sebastians Mutter draußen an dem Eisentisch unter den Kastanien und frühstückte, ihre beiden Hunde dösten auf dem Rasen. Es war Donnerstag, sie würde heute noch auf ein Reitturnier fahren, Sebastian hatte den Pferdetransporter gesehen. Vor ein paar Jahren hatte die Mutter den Stall renovieren lassen, jetzt standen ihre zwei Dressur-

pferde dort. Sebastian küsste die Mutter auf beide
Wangen, dann rannte er nach oben in sein Zimmer
und holte ihr Geschenk aus dem Koffer. Im Werk-
raum des Internats hatte er einen Nussknacker ge-
bastelt, er hatte weiße Zähne, einen roten Bart und
einen schwarzen Hut mit einer Fasanenfeder aus
Holz. Sebastian hatte lange an ihm gearbeitet, die Fe-
der hatte er braun-grün angemalt. Aber jetzt kam
ihm das Geschenk dumm vor. Er sah zu Boden, als er
es ihr gab. An den Händen hatte er noch das Harz
vom Hochsitz und nun klebte es an dem Nussknacker, weil er nicht aufgepasst hatte. Die Mutter bedankte sich. Sie öffnete zweimal den Mund des Nuss-
knackers. Dann las sie weiter die Ausschreibungen in
der »Reiter Revue«. Auf dem Tisch lagen die Melde-
scheine für ihre Turniere. Sebastian erzählte die
Neuigkeiten aus dem Internat. Manchmal stellte sie
eine Frage, ohne von den Papieren aufzusehen. Nach
einiger Zeit sagte sie, dass sie nun losmüsse. Sie faltete ihre Serviette zusammen, sorgfältig, bis die En-
den exakt aufeinanderlagen. Sie küsste ihn auf die
Stirn. Die Hunde sprangen auf und trotteten neben
ihr die Allee zum Stall hinunter.

Sebastian blieb im Schatten der alten Kastanien sitzen. Die großen Ferien lagen vor ihm. Vielleicht
würde er den Holzkahn im Bootshaus ausbessern, er
musste neu gestrichen werden. Sebastian erinnerte

sich, wie sie in dem Boot zu dritt über den See gefahren waren, der Vater hatte gerudert, während er auf dem Bauch gelegen hatte, das Kinn auf die Bordwand gestützt. Er war noch sehr jung gewesen, vielleicht fünf oder sechs Jahre alt. Seine Mutter hatte ein helles Leinenkleid getragen und steif auf der Mittelbank gesessen. Damals hatte sie noch viel gelacht, sie hatte aufgeschrien, wenn das Boot schwankte und der Vater sie mit den Paddeln nass spritzte. Sebastian hatte seine Hände in den kalten See getaucht, er hatte Forellen, Barsche und Renken gesehen und manchmal hatte er das warme Parfum seiner Mutter riechen können: Rosen, Jasmin und Orangen auf Wasser.

Das alles schien ihm lange her zu sein. Er wusste jetzt, dass seine Eltern sich nicht mehr mochten. Oft sah er sich die Hochzeitsalben im Zimmer des Vaters an. Die Eltern sahen jung und fremd auf den Bildern aus, seine Mutter war unsicher und weich, fast noch ein Mädchen, mit offenem Gesicht und hellen Augen.

Früher, als Sebastians Eltern noch miteinander redeten, hatte er seine Mutter oft zum Vater sagen hören, er habe keinen Ehrgeiz, keine Disziplin, er habe noch nicht einmal einen richtigen Beruf. Man brauche Ziele im Leben, hatte sie gesagt, das sei das Wichtigste.

Sebastian holte das Rad aus der Garage, pumpte die Reifen auf und fuhr aus dem Park. In dem letzten Haus vor den Feldern wohnte sein Freund. Die Großmutter des Freundes rief aus dem Fenster, der Junge sei mit den anderen unten bei der Schleuse. Sebastian wendete das Fahrrad, fuhr bis zum Marktplatz zurück und bog hinter der Apotheke in den Feldweg.

Der Freund stand mit den anderen Jungen aus dem Dorf am Wasser. Obwohl sie sich drei Monate nicht gesehen hatten, begrüßten sie Sebastian so beiläufig, als wäre er nie weg gewesen. Den Tag verbrachten sie damit, das Floß zu reparieren. Es hatte den ganzen Winter im Morast gelegen, die Stämme hatten sich vollgesogen, sie waren schwer und glitschig.

Sie grillten unreife Maiskolben, die sie auf Stöcke gespießt hatten, der Mais blieb zwischen den Zähnen hängen, er schmeckte nach nichts, aber der Rauch vertrieb die Wespen, und es war gut, am Feuer zu sitzen. Sie schnitten Schilfrohre, zerkleinerten sie, und rauchten sie wie große Zigarren.

Im Schatten der Erlen war der See kühl und dunkel. Sebastian schwamm weit hinaus, er legte sich auf den Rücken. Wenn er den Kopf hob, konnte er auf der anderen Seeseite das Haus sehen, es leuchtete weiß und leicht in der Sonne. Er sah den Steg dort, das blau gestrichene Bootshaus, er hörte die hellen Stimmen der Freunde am Ufer, und als er die

Augen schloss, wurde alles in ihm zu einer einzigen unbenennbaren Farbe.

Am frühen Abend fuhr Sebastian nach Hause, wusch sich das Gesicht und zog frische Sachen an. Es war zu kühl, um draußen zu essen, die Köchin hatte im Landschaftszimmer gedeckt. Der Vater roch nach Alkohol, er sah müde aus.

»Ich habe keinen Hunger, Sebastian, ich werde nur etwas trinken.«

Er ist dünn geworden, dachte Sebastian. Er wusste, dass der Vater nur noch selten zu Hause war, die meiste Zeit verbrachte er auf seiner Jagd in Österreich. Wenn er hier war, blieb er fast immer in seinem Arbeitszimmer. Die Vorhänge dort wurden nicht geöffnet und niemand durfte das Zimmer betreten, wenn er nicht da war. Er lag auf dem Sofa, starrte an die Decke und rauchte. Er sprach immer weniger, seine Anzüge hingen an ihm herunter und er begann schon morgens zu trinken.

Nach dem Essen gingen sie in das Billardzimmer. Der Vater schwankte.

»Wollen wir spielen?«, fragte Sebastian.

»Nein, ich bin zu müde. Spiel du nur, ich leiste dir Gesellschaft.«

Sebastian ordnete die Kugeln. Der Vater setzte sich mit einem Glas Whisky auf die Fensterbank und zündete sich eine Zigarre an. Manchmal sah er auf den Tisch, dann sagte er in seinem altmodischen Französisch »entrée«, »dedans« und »à cheval«. Sebastian spielte konzentriert eine amerikanische Serie, er trieb die Elfenbeinkugeln an der Bande entlang um den Tisch. Das Klacken der Kugeln auf dem Filz war lange das einzige Geräusch.

Als es dunkel wurde, stellte er den Queue zurück in den Holzständer. Er setzte sich in den Sessel neben seinen Vater. In der Bibliothek brannte noch Licht, ein schmaler Streifen fiel durch die Schiebetür auf die Dielen, das Holz sah aus wie dunkler Samt.

»Es ist schön, dass du hier bist«, sagte der Vater. Seine Stimme war verwaschen.

»Soll ich das Licht anmachen?«, fragte Sebastian.

»Nein, bitte nicht«, sagte der Vater.

Draußen schrie ein Habicht. Sebastian wurde schläfrig. Er sah das Profil des Vaters im Halbdunkel, seine hohe Stirn, die eingefallenen Wangen. Er hörte den Vater atmen. Es schien ihm, als wolle der Vater etwas sagen, als suche er nur noch die Worte. Aber der Vater sagte nichts.

Sebastian war im Sessel eingeschlafen. Als er es hörte, rannte er im Dunkeln die Treppen runter bis zur Haupthalle im Erdgeschoss, er stolperte, schlug sich das Knie auf und rannte weiter über den Gang bis zum Arbeitszimmer. Er riss die Tür auf.

Nur die Schreibtischlampe brannte, neben ihr lag

eine Pappschachtel mit Munition, Schrotpatronen mit hellroten Hülsen, Kaliber 12/70. Sebastian ging vorsichtig um den Schreibtisch herum. Vaters Tweedanzug war an Armen und Knien schon dünn, das grüne Taschentuch hing aus der Brusttasche. Sein linkes Bein lag auf dem umgestürzten Stuhl, der Absatz des Schuhs war heruntergetreten, die Nägel waren sichtbar. Der Vater hatte keinen Kopf mehr. Die Wucht der zwölf Bleikugeln hatte sein Gesicht weggerissen und das Schädeldach abgehoben.

Sebastian stand im Zimmer, er konnte sich nicht rühren. Er roch das Pulver, den Whisky, der aus einer umgekippten Flasche auf die Steinplatten tropfte, das Rasierwasser des Vaters. Er sah den Staub auf den Büchern, das Fernrohr aus Messing, die Risse in den Ledersesseln und das silberne Zigarettenetui mit dem großen Stein aus Jade. Dann wurde es zu viel, die Bilder rasten in seinem Kopf, sie überlagerten sich und setzten sich immer wieder neu zusammen, er konnte sie nicht mehr ordnen. Die Farben quollen zu riesigen Blasen auf.

Sebastian blutete aus der Nase, es lief warm über die Lippen auf die Zunge. Er trat einen Schritt vor, nahm das Zigarettenetui an sich und schaltete die Schreibtischlampe aus. Er wusste nicht, warum er das tat, aber danach wurde es stiller.

»Wir haben noch Zeit«, hatte der Vater gesagt.

# 5

Er wachte in seinem Bett auf. Er wusste nicht, wie er dorthin gekommen war. Er hatte seinen Schlafanzug an. Unten hörte er die Stimme seiner Mutter. Sein Mund war trocken. Er stand auf und ging zum Fenster, es war schon Mittag. Ein Polizeiwagen stand vor dem Haus, daneben ein schwarzer Kombi mit mattierten Scheiben.

Der Arzt der Familie kam in sein Zimmer. Er sagte, Sebastian dürfe sich nicht anstrengen, er solle sich wieder hinlegen und viel schlafen. Der Arzt gab ihm eine Tablette und ein Glas Wasser, dann zog er die Vorhänge zu. Auf den gelb-grünen Untergrund des alten Stoffes waren Papageien gestickt, prächtige Vögel mit riesigen Schnäbeln. Sebastian versuchte wach zu bleiben, aber die Vögel verschwammen vor seinen Augen und lösten sich auf. Er träumte vom Dschungel, es war heiß und feucht dort, zu viele Farben, zu viele Gerüche.

Später waren die Fremden nicht mehr im Haus. Er hörte nur das, was schon immer hier gewesen war: das Wasser, das in den bemoosten Brunnen vor dem Haus floss, den Wetterhahn, der bei jedem Windstoß knarrte, der Marder auf dem Dachboden. Sebastian fror, er hatte den Schlafanzug durchgeschwitzt.

Am nächsten Morgen saß seine Mutter auf der Bettkante, sie hielt seine Hand. Er konnte sich nicht daran erinnern, dass sie das schon einmal getan hatte. Er habe nur schlecht geträumt, sagte sie, er habe Fieber gehabt. Sie dreht den Ring an ihrem Finger. Sebastian sah auf ihren Mund, auf die Lippen, die jetzt blass und trocken waren. Sie sagte, der Vater habe einen Unfall gehabt, ein Schuss habe sich gelöst, als er ein Gewehr gereinigt habe. Der Mund bewegte sich immer weiter, aber Sebastian hörte sie kaum noch. Es schien ihm, als würde eine Wand zwischen ihn und seine Mutter geschoben. Die Wand war wie das raue Büttenpapier, das der Vater immer ein paar Dörfer weiter in der alten Mühle am Fluss gekauft hatte. Sebastian war einmal mitgekommen und hatte zugesehen, wie es gemacht wurde. Ein Mann mit einem Sieb hatte die einzelnen Bögen aus einem Trog geschöpft, Wasser war auf Filzplatten getropft und versickert. Das Papier werde aus Baumwoll-lumpen hergestellt, hatte der Mann mit der blauen Schürze gesagt, sie kämen aus dem Krankenhaus.

Sebastian wollte seiner Mutter sagen, dass der Vater noch nie Waffen in seinem Zimmer gereinigt habe und dass es niemanden gab, der sorgfältiger mit seinen Gewehren war. Er wollte ihr sagen, dass er die Schrotpatronen auf dem Tisch gesehen habe und das Blut an der Wand und dass der Vater keinen Kopf mehr hatte. Das alles habe er gesehen und verstanden und ihre Geschichte sei nicht die Wahrheit. Er wollte ihr von der Jagd erzählen, von den Wiesen, der Erde und den Farnhügeln am Morgen. Aber all die Ereignisse, die Gedanken, Farben und Gerüche standen nur roh und halb bewusst nebeneinander, er konnte sie noch nicht miteinander verbinden.

Dann stand seine Mutter auf und verließ das Zimmer.

**6**

Verwandte, die Sebastian nicht kannte, reisten zur Beerdigung an, manche strichen ihm über den Kopf und fragten, ob er sich noch an sie erinnere. Eine alte Frau mit einem lila Haarreifen drückte Sebastian an sich, ihr Kleid roch nach Mottenkugeln.

Das ganze Dorf war gekommen. Während der Priester am offenen Grab sprach, stellte sich Sebastian zu seinem Freund, der auch einen dunklen Anzug tragen musste. Der Freund flüsterte, das Floß sei jetzt fertig, es schwimme wieder, es sei sogar größer als im letzten Jahr und viel besser. Wann er wiederkomme, wollte der Freund wissen, sie würden nur auf ihn warten.

Am Nachmittag saßen die Verwandten im Garten des Hauses. Die Köchin hatte Sandkuchen gebacken, die Sahne zerlief in der Sonne. Am Anfang waren die Gäste befangen, aber nach kurzer Zeit sprachen alle durcheinander.

Sebastians Mutter schlug mit einer Gabel gegen ein Glas. Die Gespräche verstummten, alle drehten sich zu ihr. Sie bedankte sich, dass so viele zur Beerdigung gekommen seien, das habe ihr gutgetan. Sie bitte um Verständnis, sagte sie, aber sie werde das Haus verkaufen. Ihre Stimme zitterte nicht. Dann setzte sie sich wieder.

Es war immer noch still, als der Bruder des Vaters aufstand. Er wankte, stützte sich mit den Händen auf, das Tischtuch verrutschte, ein Kuchenteller zersprang auf dem Steinboden. Er hatte getrunken.

»Mein Bruder und ich wurden in diesem Haus geboren. Ich liebe und ich hasse dieses Haus, diesen See, diesen Park. Das alles hier liebe und hasse ich«, sagte er mit einer Handbewegung. Er lallte. »Sie hat ja recht. Mein Bruder und ich glaubten, wir könnten die Welt neu beginnen. Aber nichts kann man neu beginnen, gar nichts, es ist immer schon alles da. Er konnte nicht werden, was er wollte, und ich konnte es auch nicht. Ich muss, wisst Ihr, ich muss …« Seine Frau zog ihn am Ärmel. »Ja, ja«, sagte er, »lass mich.« Er fiel trotzdem zurück in den Korbstuhl. Er nahm sein Glas. »Ich trinke auf das Ende«, sagte er, und leiser fügte er hinzu: »Gott sei Dank, mein armer Bruder, er hat es hinter sich.«

Sebastian saß auf einer Fensterbrüstung und hörte seinem Onkel zu. Er verstand ihn nicht. Der Onkel konnte Schattenrisse aus Papier schneiden und damit Theaterstücke aufführen. Er hatte eine Inderin geheiratet, die ernst und fremd war. Seit fast zwanzig Jahren lebte er in Delhi. Einmal waren alle zusammen auf Norderney gewesen. Der Onkel war mit Sebastian sehr früh auf einem Fischerboot rausgefahren. Er hatte Gin getrunken. Sebastian erinnerte sich, wie er mit der gelben Flasche in der Mitte des Boots gestanden hatte. Der Onkel hatte Sebastian zu sich gerufen, ihn umarmt und geschrien: »Das Meer ist so furchtbar dumm.« Dann war er umgefallen. Die Fischer hatten ihn später vom Boot getragen.

In der Nacht nach der Beerdigung stand Sebastian auf. Er ging im Schlafanzug hinunter zum See, er setzte sich auf den Holzsteg. Vielleicht könnte er heimlich hierbleiben, überlegte er. Im rechten Flügel gab es ganz hinten ein kleines Zimmer, in das man nur durch den Wandschrank kam, das wäre ideal. Nicht einmal die Köchin kannte es. Dort könnte er sich verstecken, sein Freund würde ihm Essen bringen, und wenn er erwachsen wäre, würde er das Haus zurückholen.

Der Vater hatte gesagt, das Haus würde immer da sein, seine Eltern und Großeltern und alle Vorfahren hätten hier gelebt und Sebastian und seine Kinder und seine Enkel würden auch noch hier leben. Ein Mensch sei verloren ohne sein Zuhause, hatte er gesagt, auch wenn so ein altes Haus oft anstrengend sei.

Sebastian dachte daran und er dachte an seinen Plan und schließlich schlief er dort draußen auf dem Steg ein.

7

Zwei Wochen nach der Beerdigung begann die Mutter aufzuräumen. Sie müsse den Hausstand jetzt
»auflösen«, sagte sie.

Zuerst kam ein Antiquitätenhändler aus München,
er hatte dünne Haare und trug eine blau-rote Lesebrille an einer Kette um den Hals. Er ging mit der
Mutter durch die Räume, manchmal blieb er stehen
und zeigte auf etwas. Am Ende kaufte er das Silberbesteck, vier Miniaturen aus dem 18. Jahrhundert,
drei Ölbilder in angeschlagenen Rahmen, die Gewehre und die Elefantenstoßzähne. Er würde alles
abholen lassen, sagte er und schrieb einen Scheck aus.

Ein Entrümpelungsunternehmen stellte einen Container vor die Freitreppe. Eine Woche lang schleppten Männer fast alles aus dem Haus, der Container wurde jeden Tag zweimal geleert. Schon am Mittag rochen die Männer nach Schweiß, sie trugen nur Unterhemden. Als sie sich an die Umgebung gewöhnt hatten, brachten sie die Sachen nicht immer gleich in den Container. Sie zogen die afrikanischen Masken auf, johlten und warfen mit den Speeren auf die Bäume im Park.

Sebastian verstand nicht, was seine Mutter tat. »Entsorgen«, nannte sie es. Vaters Dias, seine Super-8-Filme, selbst seine Notizhefte kamen in den Container. Sie verbrannte Fotos und Briefe in einer Regentonne im Garten. Sie müsse »aufräumen«, sagte sie in diesen Tagen ständig, »Schluss machen, beenden«. Er hörte sie durch das Haus laufen, sie rief nach ihm, aber er antwortete nicht.

Sebastian saß jeden Tag auf der Treppe im Schatten des Hauses und wartete auf die Kühle des Abends. Dort, in die Mauern der kleinen Freitreppe, waren Reliefs aus Sandstein eingearbeitet, Dachse, Otter und Biber. Der Vater hatte gesagt, man müsse nur über die Nase des Otters streichen, wenn man das Haus verlasse, dann käme man immer wieder zurück.

Kurz vor Ende der Ferien kam ein Häusermakler. Auf seinem Auto stand: »Wir verbinden weltweit die Wünsche anspruchsvoller Menschen.« Der Makler stellte sich vor das Haus, rollte seine Hände wie ein Fernrohr und sagte: »Na ja, ziemlich heruntergekommen, aber schöne Lage. Wir können es vielleicht verkaufen.« Er machte viele Fotos. Später saßen die Mutter und der Makler draußen am Tisch unter den Kastanien. Sebastian hörte seine Mutter sagen: »Ach nur so wenig?«, und für einen Moment glaubte er, sie würden das Haus doch behalten.

Am Tag nach dem Maklerbesuch radelte Sebastian das erste Mal seit der Beerdigung zur Kirche. Am Tor der Friedhofsmauer stieg er vom Fahrrad und schob es über den Schotterweg. Er sah die Grabsteine seiner Vorfahren, auf jedem las er seinen eigenen Namen. Vor dem Grab seines Vaters blieb er stehen. Jemand hatte Blumen gepflanzt, die Gießkanne aus Blech stand noch dort. Er kniete sich hin und grub mit den Händen ein Loch. Oben war die Erde von der Sonne warm, aber als er tiefer grub, wurde sie kalt und nass. Er hatte die Nase des Otters mit einem Hammer aus der Fassade geschlagen. Er legte sie in die Erde. »Es ist besser, wenn du jetzt wiederkommst«, sagte er, »ich bekomme es alleine nicht hin.«

Am Ende der Ferien brachte ihn die Mutter nach München. Sie schimpfte auf den Wagen, er sei zu alt. Sobald das Haus verkauft wäre, würde sie einen neuen kaufen, sagte sie. Sie parkte auf dem Bahn-hofsvorplatz. Es tue ihr leid, aber sie könne nicht mit auf den Bahnsteig kommen, sonst würde sie es nicht rechtzeitig zum Turnier schaffen. Sebastian stieg aus, küsste sie durch das offene Fenster und nahm seinen Koffer vom Rücksitz. »Wegen des Verkehrs kann sie nicht winken«, dachte er, als er ihr nachsah.

Er fand den Zug, setzte sich auf seinen reservierten Platz und sah aus dem Fenster. Er tastete in seiner Hosentasche nach dem Zigarettenetui des Vaters, mit dem Daumen fuhr er über den Jadestein. Er dachte an die Wand hinter dem Schreibtisch, sie war schon neu gestrichen worden. Als der Zug den Bahn-hof verließ, legte er das Etui auf den Klapptisch vor sich. Der Stein glänzte in der Sonne, die Farbe war ruhig und gleichmäßig. »Imperial-Jade«, hatte der Vater sie einmal genannt. Das Etui stammte aus den Zwanzigerjahren, auf der Innenseite waren japa-nische Zeichen eingraviert. Sebastian hielt das Etui vor seine Augen. Manchmal fiel der Schatten eines Baums oder eines Leitungsmasten auf den Jadestein und veränderte seine Farbe.

Er sah das Haus vor sich, das dunkle Grün seiner Kindheit, die hellen Tage. Die Farben rochen nach dem Staub, der alles bedeckte, sie rochen wie das frisch gemähte Gras am Nachmittag und wie der Thymian nach dem Regen und wie das Schilf zwischen den Bohlen des Bootsstegs. Er dachte an die Seidenkleider seiner Mutter, die sie früher getragen hatte, an ihre Haut in der Sonne und das Bild vom Eismeer im Zimmer seines Vaters. Er wusste nicht mehr, was noch wirklich war, und er wusste nicht, wer er werden sollte.

**8**

In den nächsten Jahren im Internat saß Sebastian fast
immer in der Bibliothek und las. Er war in Indien,
in der Sierra Nevada oder im Dschungel, er fuhr mit
Hundeschlitten und ritt auf Drachen, er fing Wale,
war Seefahrer, Abenteurer und Zeitreisender. Er un-
terschied nicht zwischen den Geschichten und der
Wirklichkeit.

Zuerst fiel es dem Bibliothekar auf. Er sah Sebastian einige Male aufgeregt mit jemandem sprechen,
obwohl der Junge alleine im Lesesaal war. Dem Bibliothekar kam es seltsam vor und er meldete es der
Internatsleitung. Präfekten und Lehrer besprachen
den Vorfall, Telefonate wurden mit Sebastians Mutter geführt und schließlich wurde beschlossen, die
Sache untersuchen zu lassen.

Der Pater seiner Abteilung fuhr mit Sebastian in die Hauptstadt. Er sagte, sie würden einen Arzt besuchen, der berühmt sei, ein Professor der Universität.

Der Arzt war dick, er roch nach Erbsensuppe und er war schon sehr alt. Aber er sah nicht aus wie ein Arzt und seine Praxis sah auch nicht aus wie die Praxis eines Arztes. An den Wänden hingen afrikanische Masken und auf dem Schreibtisch lag eine Kette, die aus Knochen gemacht war. Sebastian fuhr fünfmal mit dem Pater zu dem dicken Arzt in die Stadt. Es waren schöne Ausflüge, der Pater ging mit Sebastian danach immer in ein Café und er durfte sich einen Kuchen aussuchen.

Beim letzten Mal sagte der dicke Mann, Sebastian müsse jetzt nicht mehr kommen. Er besprach etwas mit dem Pater, was sich Sebastian merken wollte, aber die Männer benutzten Worte, die er nicht kannte. Der dicke Mann sagte: »Visuelle Halluzinationen« und viele andere schwierige Sachen.

Draußen fragte Sebastian den Pater, was der dicke Arzt gesagt habe, er hatte ein wenig Angst, dass er krank sei. Der Pater beruhigte ihn, es sei nichts Schlimmes. Sebastian bilde sich Menschen und Dinge ein, die es nicht gebe. Kinder würden das manchmal tun, die Grenze zwischen der Wirklichkeit und den Dingen im Kopf sei noch nicht so deutlich. Mit der Zeit würde sich das »verwachsen«. Der Pater sah traurig aus, als er es sagte. Dann gingen sie wieder in das Café. Sebastian bestellte einen Marmorkuchen und der Pater bestellte ein Bier.

Es gefiel Sebastian nicht, dass sich etwas in ihm »verwachsen« soll. Die Köchin zu Hause hatte einen schiefen Finger, der sei einfach »verwachsen«, hatte sie gesagt. Sebastian wollte keine krummen und hässlichen Sachen in seinem Kopf. Auf der Rückfahrt dachte er lange darüber nach. Er entschied, dass es nichts ausmache, wenn er sich weiter mit Odysseus, Herkules und Tom Sawyer unterhielt. Aber er durfte niemandem davon erzählen, er musste vorsichtiger werden.

# 9

Nachdem Sebastians Mutter das Haus am See verkauft hatte, pachtete sie einen modernen Reiterhof
in der Nähe von Freiburg. Sie wohnte dort in einem
Einfamilienhaus mit dünnen Wänden und einer Dop-
pelgarage.

Der Stall hatte zwölf Boxen, es gab eine Reithalle
und ein Dressurviereck. Ein Pferdepfleger reinigte
jeden Tag Stallgasse, Sattelkammer und Innenhof.
Die Mutter wurde laut, wenn sie irgendwo Spinn-
weben sah.

Jeden Morgen stand sie um sechs Uhr auf, sie ritt
alle zwölf Pferde bis zum Nachmittag. Von Frühjahr bis Herbst war sie an den Wochenenden auf
Turnieren, einmal wurde sie deutsche Vizemeisterin
im Dressurreiten. Sie lebte von dem, was das Haus
am See und der Wald eingebracht hatten.

Weil die Abstände zwischen den Ferien groß waren, sah Sebastian, wie sie sich veränderte: Kinn und Nase wurden spitzer, ihr Mund wurde schmaler, die Venen traten auf ihren Unterarmen hervor.

Wenn Sebastian sie besuchte, wohnte er in einem kleinen Zimmer unter dem Dach, im Sommer war es dort stickig, im Winter dunkel. Wenn er nicht da war, nutzte die Mutter den Raum als Büro. Seine Sachen standen, in zwei Kisten verpackt, auf dem Speicher.

In den Ferien fuhr er mit auf die Turniere. Die Reitplätze waren voll Schlamm, Wasser stand in den Fahrspuren der Pferdetransporter, und in den Zelten roch es nach Zwiebeln und verbranntem Fett. Im Sommer trocknete der Pferdemist auf den Wiesen, die Hitze ließ die Gesichter der Menschen rot werden, der scharfe Schweiß der Pferde stand in der Luft. Die Männer saßen auf Klappstühlen am Rand des Dressurvierecks, sie sahen ihren Frauen und Töchtern zu. Sie hatten eine eigene Sprache, sie sagten, ein Pferd müsse durchs Genick gehen, sie redeten von Traversalen, fliegenden Wechseln, gestrecktem Trab. Sebastian verstand, dass die Reiterinnen süchtig nach ihren Pferden waren.

Die Mutter sprach nur wenig mit ihm, sie war immer müde vom Reiten. Sie sagte, dass sie ihren Körper nicht mehr ertrage, die Schmerzen in den Knien und die Schmerzen im Rücken und die Schmerzen in den Händen. Ein Arzt hatte sie gewarnt: Ihre Halsnerven seien von der Dauerbelastung dünn geworden. Es sei gefährlich, weiterzureiten, sie riskiere zu viel. Sie hielt es nur eine Woche aus, dann stieg sie wieder auf die Pferde. Sie müsse reiten, sagte sie, es ginge nicht anders.

Als Sebastian 16 Jahre alt war, stellte ihm die Mutter ihren neuen Freund vor. Er war Mitte vierzig, einen halben Kopf kleiner als sie, er hatte kurze graue Haare, dichte Augenbrauen, manikürte Fingernägel. Sie holten Sebastian vom Bahnhof ab, als er aus dem Internat kam.

Sie würden jetzt essen gehen, sagte der neue Mann. Er fuhr zu einem Restaurant, von dem er sagte, es sei das beste, sein Chef esse auch dort. In der Karte stand, »eine ehemalige Metzgerei wurde stilsicher in ein französisches Café der Jahrhundertwende verwandelt« und sei nun »ein authentisches Stück Frankreich mitten in Freiburg«. Die Tische standen eng, zu viele Leute saßen in dem Raum, die Stühle waren unbequem. Es war sehr laut. Der neue Mann schrie, das Essen hier sei hervorragend, den Kellner begrüßte er mit Vornamen.

Der neue Mann sah auf die Uhr und bestellte für alle. Er wisse, was hier gut sei, sagte er. Während sie auf das Essen warteten, sagte er zu Sebastian, er sei Vertreter für Gipskartonplatten, es sei ein »Riesengeschäft«. Einmal sei ein Artikel über ihn in der lokalen Boulevardzeitung erschienen, er habe damals alles dafür getan, damit sich ein schwedischer Autozulieferer in der Stadt niederließ. Der Autozulieferer habe sich später zwar anders entschieden, aber in dem Zeitungsartikel sei er »der Macher« genannt worden. So etwas bleibe hängen, sagte er. Er zog die Augenbrauen hoch und sagte das so, als wolle er sich darüber lustig machen, aber Sebastian begriff, dass er stolz darauf war. Die Mutter schwieg, sie schien die Geschichte zu kennen.

»Alles hat seinen Preis«, sagte der Macher. »Aber wenn du deinen Arsch bewegst, ist es egal, woher du kommst.«

Der Macher legte seine Hand auf die Oberschenkel der Mutter und starrte in ihren Ausschnitt. Der Kellner brachte eine Flasche »Clos de Beaujeu«, ohne dass jemand sie bestellt hatte. Er solle ruhig etwas trinken, sagte der Macher zu Sebastian, »zur Feier des Tages«. Sebastian fragte, ob er ein Wasser haben könne.

Dann schrie der Macher über den Tisch zu Sebastian: »Was willst du werden?«

Sebastian zuckte mit den Schultern. Der Macher spielte mit dem Salzstreuer. Er hatte dicke Finger, obwohl er selbst nicht dick war. Er trug eine goldene Uhr mit einem goldenen Armband, auf dem Uhrenglas war eine Lupe für das Datum. In den Mundwinkeln des Machers trocknete Speichel. Sebastian stellte sich den Mund des Machers auf dem Mund seiner Mutter vor.

»Hast du gar keinen Plan? Du gehst auf eine so teure Schule und hast keinen Plan?«, fragte der Macher.

Sebastian antwortete nicht.

»Was hast du da?«, fragte der Macher. Er griff in Sebastians Mantel, der über dem Stuhl lag, und zog das Buch aus der Tasche, das Sebastian im Zug gelesen hatte.

»*Windabgeworfenes Licht*«, las der Macher langsam vor. »Was soll das denn heißen?« Er lachte laut und hielt das Buch in die Höhe.

»Es sind Gedichte«, sagte Sebastian. Er riss dem Macher das Buch aus der Hand und schmiss dabei ein Glas um. Das Tischtuch saugte sich voll und der Wein lief auf die Hose des Machers. Sebastian entschuldigte sich, er müsse an die frische Luft.

Sebastian ging vor die Tür. An der Bushaltestelle wühlte ein Obdachloser in einer Abfalltonne. Ein sehr langer, glänzender Wagen fuhr vorbei, ohne ein Geräusch zu machen. Die Luft stand in der Straße, es roch nach Asphalt und Benzin. Eine Frau ging an ihm vorbei und schrie in ihr Handy: »Sie war halt lange Single.« Sebastian rauchte zu schnell zwei Zigaretten hintereinander. Im Internat hing über seinem Schreibtisch ein Foto der grünen Fischerhütte in Wales, in der Dylan Thomas die Gedichte geschrieben hatte. Daran dachte er jetzt.

Als er ins Restaurant zurückkam, war die »hausge-
machte Frikadelle vom Galloway«, die der Macher
für ihn bestellt hatte, kalt.

Der Macher fuhr mit dem Wagen zu schnell nach
Hause, Sebastian spürte den Gurt an seinem Hals.
Der Macher und die Mutter gingen sofort zu Bett.
Sebastian las noch eine Zeit lang in dem Gedicht-
band. Dann stand er auf und ging in den Garten, um
zu rauchen, die Mutter hatte es im Haus verboten.
      Im Schlafzimmer brannte Licht. Der Macher stand
nackt vor dem Bett, seine Mutter schlief. Er hielt
eine Videokamera in der Hand, die rote Diode für
die Aufnahme blinkte. Mit der anderen Hand mas-
turbierte der Macher. Sebastian sah sich selbst in der
großen Panoramascheibe.

Er ging hoch in das Zimmer unter dem Dach und
setzte sich an den Plexiglasschreibtisch vor dem Fenster. Er wollte einen Brief schreiben, aber er wusste
nicht an wen. Er starrte auf die Spitze des Bleistifts.
Dann holte er aus seinem Koffer ein Opinelmesser
mit Holzgriff, das er sonst immer auf seine Wanderungen mitnahm. Er schnitt sich die Kuppe des linken Zeigefingers ab. Er sah zu, wie das Blut hervor-
quoll und auf den Schreibtisch tropfte. Für einen
Moment fühlte er sich lebendig. Dann ging er ins
Badezimmer und verband die Wunde.

Sebastians Mutter und der Macher heirateten ein knappes Jahr später. Sie feierten in einem Schlosshotel, das der Macher von einer Vertretertagung kannte. Das Brautpaar fuhr in einer Kutsche zum Standesamt, die Mutter trug ein weißes Kleid. Vor dem Hotel war ein Zelt aufgebaut, ein Alleinunterhalter mit Hammondorgel machte Musik. Man dürfe nur dort draußen tanzen, das Parkett im Schloss sei zu empfindlich, hatte der Hoteldirektor gesagt.

Für den Brautwalzer hatte der Macher Tanzstunden genommen. Trotzdem stolperte er und fiel hart auf den Bretterboden. Die Musik setzte kurz aus, eine Frau hielt sich die Hand vor den Mund. Als der Macher aufstand, war seine Hose voller Staub. Die Gäste applaudierten, ein angetrunkener Mann rief, das sei ein gutes Zeichen für die Ehe, und alle lachten.

Sebastian verließ das Zelt. Dann hörte er seine Mutter. Sie hatte den Macher untergehakt und ihn nach draußen gebracht. Sie stritten miteinander, der Macher schüttelte heftig den Kopf und riss sich los.

Der Macher ging hoch zum erleuchteten Schloss, er humpelte. Eine Katze schlief auf den Steinstufen vor dem Eingang, sie bewegte die Pfoten im Schlaf. Der Macher sah sich um. Dann trat er mit der Spitze seines Lackschuhs in den Bauch der Katze.

**10**

Zwei Jahre später machte Sebastian das Abitur. Der
Pater stand in der Stiftskirche am Altar. Er wünschte
den Schülern Glück. Es war eine lange Predigt, er
hielt sie jedes Jahr. Er sagte, die Abiturienten seien
nun entlassen, sie müssten jetzt ihre eigenen Fehler
machen, ihr Leben würde heute beginnen. Er wünsche sich, dass sie die Welt besser hinterließen, als
sie heute sei. Nach der Predigt spielten Schüler zwei
Sätze aus dem Forellenquintett.

Sebastians Mutter hatte nicht kommen können,
»die Nerven«, hatte sie gesagt.

Sebastian ging nach der Messe in sein Zimmer. In
der letzten Woche vor der Abschlussfeier hatten
große Unternehmen ihre Stände in den Fluren des
Internats aufgebaut. Er hatte Angebote für Trainee-
programme und Berufsakademien bekommen, ein
Waschmittelhersteller wollte sein Studium finanzie-

ren. Er setzte sich an seinen Schreibtisch. Von hier aus konnte er den Lukmanierpass sehen, er dachte an seine Wanderungen durch den Talboden des Rheinwalds und an die wandernden Lichter in den Kastanienwäldern des Val San Giacomo. Er war fast neun Jahre in dem Internat gewesen. Er nahm die Visitenkarten und warf sie in den Papierkorb.

Er fuhr mit dem Zug nach Freiburg, dort nahm er den Bus und trug den Koffer fast einen Kilometer bis nach Hause. Er klingelte, der neue Hund seiner Mutter bellte. Das Licht ging an, er hörte, wie der Macher den Hund anschrie. Seine Mutter öffnete, sie trug eine Halskrause. Sie hätten ihn erst morgen erwartet, sagte sie, irgendetwas habe sie wohl falsch in den Kalender eingetragen. Dann ging sie zurück in ihr Schlafzimmer, sie habe Schmerzen.

Sebastian machte sich ein Brot in der Küche. Der Macher setzte sich mit an den Tisch.

»Was willst du jetzt tun?«, fragte der Macher. »Du musst ja irgendetwas tun. Also, was hast du vor? Wie lange wirst du hierbleiben?«

»Ich erzähle es euch morgen«, sagte Sebastian.

»Nein, ich will es jetzt wissen, du hast mich schon geweckt.« Der Macher hatte verquollene Augen.

»Es war ein langer Tag, es ist wirklich zu spät«, sagte Sebastian. Er blieb ruhig. Er wusste, was jetzt kommen würde.

Der Macher sprang auf. Er rannte um den Tisch und stellte sich neben Sebastians Stuhl. Die Schlagader an seinem Hals pulsierte. Das letzte Mal hatte der Macher ihn vor einem Jahr geschlagen. Damals hatte Sebastian seine Freundin aus dem Internat in Italien besuchen wollen, aber der Macher hatte es verboten. Aus Wut hatte er die Wagenschlüssel des Machers in einen Gully geschmissen. Der Macher hatte ihn auf der Straße geohrfeigt. Er müsse Disziplin lernen, er kriege ihn schon klein, hatte er geschrien. Passanten hatten sich nach ihnen umgedreht und Sebastians Mutter hatte danebengestanden und nichts gesagt.

Sebastian legte das Brot auf den Teller. Er stand langsam auf. Er war anderthalb Köpfe größer als der Macher. Die letzten drei Jahre hatte er täglich eine Stunde im Internat geboxt, er hatte Eishockey gespielt und Bergtouren gemacht. Sein Körper war glatt und hart. »Er trägt sogar nachts diese Uhr«, dachte Sebastian.

Der Macher starrte Sebastian an, er schien nicht zu wissen, was er tun sollte. Dann gab er auf. Er ließ sich in einen Sessel fallen, die Gesichtszüge entglitten ihm und sein Blick wurde stumpf.

Sebastian sah, dass sein Haar dünn geworden war. Er nahm den Teller, ging zur Tür und schaltete hinter sich das Licht aus.

Am nächsten Morgen stand Sebastian früh auf und fuhr in die Stadt. Er kaufte ein paar Bücher, ging in eine Ausstellung und setzte sich in ein Café. Er wartete. Als er am frühen Nachmittag in das Haus zurückkam, lag seine Mutter auf einem Liegestuhl. Der Rasen war kurz geschnitten, sie düngte ihn jedes Jahr mit Stickstoff. Sie trug eine Sonnenbrille und noch immer die Halskrause, deren Rand braun von Schminke war. Sie zog ihren Bademantel zu und nahm ihre Sonnenbrille ab.

Er sah sie an und sie sah ihn an.

Ihre Füße waren nackt, die Zehen waren von den Reitstiefeln verkrüppelt. Die Auflage des Liegestuhls war gelb und ihre Beine waren weiß und voller Adern. Er begriff, dass es nichts mehr zu sagen gab, weil es zu lange her war und weil es kein Haus am See mehr gab und keine hellen Tage. Er würde sein Leben beginnen und sie würde weiter ihr Leben leben. Sie hatten sich so entschieden und jetzt war es dumm, über Schuld nachzudenken.

Er nickt ihr zu, das war alles, was er tat. Dann schloss er die Tür zur Terrasse wieder, er war vorsichtig, er wollte kein Geräusch machen. Er ging in das Zimmer unter dem Dach. Es war stickig, er öffnete das Fenster. Der Wind, der über die Felder kam, roch nach Hyazinthen und Iris. Er zog sich aus und legte sich auf das Bett. Seine Muskeln schmerzten. Er hörte, wie die Mutter im Hof auf und ab ging.

**11**

Der Fotograf begrüßte Sebastian von Eschburg
freundlich. Sie hatten sich bei einem Altschülertref-
fen kennengelernt. Der Fotograf hatte sein Abitur
vor dreißig Jahren in Eschburgs Internat gemacht. Er
hatte an der Kunstakademie in Düsseldorf studiert,
in den Achtzigerjahren hatte er Bildbände veröffentlicht, große Schwarz-Weiß-Fotos von Kohlezechen,
Wassertürmen, Förderanlagen und Gasometern. Die
meisten dieser Anlagen gab es jetzt nicht mehr. Der
Fotograf war mit diesen Bildern bekannt geworden. Eschburg mochte die Industriebilder, menschen-
leere, harte Fotos vor grau-weißem Himmel.

Der Fotograf gab eine Zeitschrift für Architek-
turfotografie heraus, war Mitglied in zahlreichen
Gremien und leitete Jurys für Wettbewerbe. Er hatte
Bücher über das Fotografieren geschrieben, besaß

enorme technische Kenntnisse und schrieb regelmä-
ßig Kritiken zu Fotografieausstellungen in der größten deutschen Zeitung. Er lebte von Auftragsarbeiten
für Architekten und Zeitschriften, er fotografierte
Wohn- und Bürogebäude. Seine Fotos waren immer
noch makellos, aber er hatte nie eine internationale
Karriere gemacht. Er sagte, das sei ihm gleichgültig,
aber später begriff Eschburg, dass er darunter litt.

Nebenbei betrieb der Fotograf vier kleine Studios
in Berlin, sie liefen nicht unter seinem Namen und
er fotografierte dort nicht selbst. Er sagte, das sei das
»Brot-und-Butter-Geschäft«. In den kleinen Studios
wurden Pass- und Porträtbilder gemacht, Aufnahmen von Hochzeits-, Firmen- und Geburtstagsfeiern
und von den Abschlussklassen der Schulen.

Der Fotograf bot Eschburg an, für ihn zu arbeiten.
Eschburg mietete ein winziges möbliertes Zimmer
in Charlottenburg. Am Anfang zahlte der Fotograf
nur ein kleines Gehalt, aber es reichte zum Leben.
Die ersten Monate las Eschburg die Bücher des Fotografen und alle anderen Bücher über Fotografie, die
er bekommen konnte. Er lernte systematisch alles
über Objektive, Belichtungen, Blenden, Filter, über
Verschlusszeiten bei analogen und digitalen Kameras, über Groß-, Mittel- und Kleinformate. Er entwickelte Bilder in dem Labor des Studios, er machte
Notizen über basische und saure Bäder, experimen-

tierte mit Essig- und Zitronensäure, mit Natrium-
und Ammoniumthiosulfatlösungen. Der Fotograf
war ein guter Lehrer. Sie unterhielten sich über die
Geschichte der Fotografie, sie gingen in Ausstellungen und Galerien, und obwohl der Fotograf launisch
und ungerecht war, war Eschburg gerne bei ihm.

Das Fotografieren war für Eschburg viel mehr als ein
Handwerk. Er fotografierte nur mit Schwarz-Weiß-
Filmen, später bearbeitete er die Abzüge mit Thio-
harnstoff und Natriumhydroxid. Er experimentierte,
bis seine Bilder den weichen, warmen Ton bekamen,
der alle anderen Farben in seinem Kopf beruhigte.
Der Fotograf sagte, Eschburg müsse revolutionär
sein, Kunst müsse provozieren und zerstören, das sei
der Weg zur Wahrheit. Aber Eschburg wollte kein
Künstler sein. Er wollte sich mit den Fotografien
eine andere Welt erschaffen, fließend, vergangen und
warm. Und nach einigen Monaten sahen die Gegen-
stände, Menschen und Landschaften auf seinen Bildern so aus, wie er sie ertragen konnte.

Eschburg arbeitete auch oft in den Brot-und-But-
ter-Geschäften, er wollte von den angestellten Fotografen das Tagesgeschäft lernen. Sechs Monate nachdem Eschburg bei dem Fotografen angefangen hatte,
kam die Besitzerin einer Parfümerie in eines dieser
kleinen Studios. Sie wollte Aktaufnahmen von sich

machen lassen. Sie war Mitte vierzig, vor ein paar Monaten hatte sie sich von ihrem Mann getrennt, die Bilder sollten für ihren neuen Freund sein. Als sie es sagte, wurde sie rot.

Eschburg half bei den Aufnahmen. Es waren die üblichen Fotos: Tüllschleier über die Schwangerschaftsstreifen, gedämpftes Licht gegen die Falten, Unschärfefilter für Po, Oberschenkel und Bauch, unsichtbare Tesastreifen, mit denen die Brüste angehoben wurden.

Als die Aufnahmen fertig waren, fragte Eschburg die Frau, ob er auch ein paar Bilder von ihr machen dürfe. Sie nickte. Eschburg nahm die Hasselblad, die er sich für wenig Geld gebraucht gekauft hatte. Er mochte die Kamera, der Fotografierende sieht sein Modell nicht direkt, der Blick wird über einen Spiegel gelenkt, er ist weniger brutal. Eschburg legte einen Film ein, zog die Vorhänge des Ateliers auf und schaltete das Kunstlicht aus. Er bat die Frau, sich abzuschminken. Es hatte den ganzen Tag geregnet, das Licht an diesem Nachmittag war weich, ein helles Grau.

Eschburg sprach mit ihr, er sagte, er habe gerade erst angefangen und sei noch unsicher. Sie entspannte sich. Nach einer Stunde war sie so weit, Eschburg machte sehr schnell zwölf Bilder, er benutzte kein Stativ.

Auf den Bildern saß die Frau mit angezogenen

Knien auf dem Bett, die Tücher lagen auf dem Boden, sie sah durch das Fenster nach draußen. Das Licht fiel in einem Rechteck auf das Laken und auf ihr Gesicht. Ihr Körper war fahl, nur ihre Stirn war heller – eine 46 Jahre alte Frau, in ihrer Würde verletzt.

Zwei Tage später holte die Frau die Fotos für ihren Freund ab, sie steckte sie schnell in ihre Tasche. Eschburg zeigte ihr auch seine Bilder, er sagte, sie müsse sie nicht bezahlen. Sie sah sich die Fotos im Stehen an, jedes einzelne, dann drehte sie die Bilder um, zerriss sie und legte sie auf die Theke. Sie blieb vor Eschburg stehen, sie öffnete den Mund, aber sie sagte nichts.

Der Fotograf veränderte sich mit den Jahren, er wurde unkonzentriert, aß zu viel und nahm immer mehr zu. Wenn er Abgabetermine vergaß, schrie er seine Angestellten an und knallte mit den Türen. Am nächsten Tag tat es ihm leid, und wenn er in dieser Stimmung war, sagte er, sein Leben sei ihm zwischen den Fingern zerronnen. Er hatte drei Töchter, die nichts mit seiner Arbeit zu tun haben wollten. Mit seiner Frau war er aus Bequemlichkeit und aus Angst vor der Einsamkeit zusammen. Manchmal dachte Eschburg, dass der Fotograf in ihm den Sohn sehe, den er nie gehabt hatte.

Fast immer konnte Eschburg die Termine des Fotografen retten, er arbeitete die Nächte durch und lieferte die Bilder noch pünktlich ab. Als Eschburg nach vier Jahren dem Fotografen sagte, er müsse jetzt gehen und etwas anderes probieren, wurde der Fotograf wütend. Er habe ihn groß gemacht, sagte er, alles habe er Eschburg beigebracht, ohne ihn sei er nichts. Der Fotograf hatte einen roten Kopf und sein Mund wurde sehr dünn, als er es sagte.

An diesem Nachmittag ging Eschburg früh in das möblierte Zimmer, das er noch immer bewohnte. Er setzte sich an das Fenster und sah den Passanten auf der Straße zu. Er dachte an die großen Bilder des Fotografen, an die Wahrheit, die in ihnen war. Die Bilder würden noch da sein, wenn es den Fotografen nicht mehr gab. Der Fotograf hatte sein Leben nicht verschwendet. Er war als junger Mann sehr gut gewesen und als alter Mann war er immer noch besser als die meisten anderen.

Eschburg schrieb dem Fotografen einen langen Brief, er saß viele Stunden am Schreibtisch, aber am Ende zerriss er den Brief und warf ihn weg.

## 12

Eschburg mietete ein zweistöckiges Fabrikgebäude im Hof eines Wohnhauses in der Linienstraße in Berlin-Mitte. Früher waren dort Regenschirme produziert worden, seit der Wiedervereinigung stand das Gebäude leer. Es hatte hohe Fenster, die Mauern waren aus rot-gelben Ziegeln und es war nicht teuer.

Das Studio richtete er in der unteren Etage ein, in eine Hälfte der oberen Etage zog er mit seinen privaten Sachen. Als er die Bücherkartons in den ersten Stock trug, traf er zum ersten Mal seine Nachbarin aus der Wohnung gegenüber, sie grüßten sich über den Flur.

Eschburg rief alle Redakteure und Architekten an, die er kannte, er sagte, er habe sich selbstständig gemacht. Nach und nach bekam er Aufträge, Bilder für

Verkaufskataloge, kleine Reportagen über neue Gebäude, manchmal Aufnahmen für eines der städtischen Museen. Er hatte bei dem Fotografen kaum Geld ausgegeben, er brauchte nicht viel und er genoss seine Unabhängigkeit.

In seiner Wohnung stand ein alter Sessel, jemand hatte ihn für den Sperrmüll auf die Straße gestellt. Das schwarze Polster war durchgesessen, aber er war immer noch bequem. Ansonsten hatte er nur zwei Stühle aus Eisen, einen groben Holztisch, Regale für die Bücher und ein Bett.

Der Redakteur einer Kinozeitschrift bat Eschburg, eine bekannte Schauspielerin für einen Artikel zu fotografieren. Sie kam ungeschminkt, erhitzt vom Fahrradfahren, sie trug nur eine weiße Bluse. Er fotografierte sie, wie sie war. Er brauchte kaum eine Viertelstunde für das Bild.

Eschburg hatte Glück. Der Schauspielerin gefiel das Foto, sie stellte es auf ihre Webseite. Sie empfahl Eschburg ihren Kollegen und Freunden. Nach kurzer Zeit fotografierte er Regisseure, Schauspieler, Sportler und Sänger. Dann kamen die Politiker, Manager und Unternehmer. Eschburg wurde bekannt, weil die Menschen bekannt waren, die er fotografierte. Drei Jahre später hatte er zwei Fotobände veröffentlicht. Er hatte Hunderte Schwarz-Weiß-Porträts gemacht, es gab Ausstellungen in verschiedenen

Städten, seine Fotos waren auf Musik-CDs, auf Plakaten, in Zeitschriften und sie hingen in Restaurants. Er konnte hohe Preise für die Bilder verlangen. Eschburg war erst 25 Jahre alt.

Seine Welt veränderte sich. Er brauchte jeden Tag eine Stunde, um E-Mails zu beantworten, und zwei Stunden, um seine Termine zu organisieren. Eine Agentur kümmerte sich um die Verwertung der Bildrechte, eine andere um seine Webseite. Er hatte einen Werbevertrag mit einem Kamerahersteller. Er reiste viel, oft wachte er in Hotels auf, ohne zu wissen, in welcher Stadt er war. Manchmal dachte er dann, es sei besser, liegen zu bleiben und darauf zu warten, bis alles vorbei ist.

## 13

Vier Jahre nach seinem Umzug in die Linienstraße
rief eine Frau in Eschburgs Studio an und fragte, ob
er Zeit habe, sie sei in der Nähe und würde gerne
vorbeikommen. Sie nannte den Namen eines franzö-
sischen Energiekonzerns, den sie berate. Eine halbe
Stunde später klingelte sie. Sie trug ein dünnes gel-
bes Kleid, ihre Haare hatte sie hochgesteckt.

»Sagen Sie einfach Sofia, mein Nachname ist zu
kompliziert.« Ihre Hand war warm. Auf ihrer Visitenkarte stand, sie sei Geschäftsführerin eines Unter-
nehmens für Public Relations. Sie sagte, der Stromkonzern, den sie berate, wolle eine Werbekampagne
mit dem Gesicht einer Frau machen. Sie fragte, ob er
Lust habe, die Fotos dafür zu machen.

»Wieso haben Sie mich ausgesucht?«, fragte Eschburg.

Sie lächelte. »Nicht wegen Ihrer bekannten Porträts. Ich habe vor Jahren eines Ihrer Fotos bei Ihrem früheren Arbeitgeber gesehen. Sie selbst waren an diesem Tag nicht da. Es hing in Ihrem Büro. Ein kleines Schwarz-Weiß-Foto einer Frau.«

Eschburg hatte die Bilder der nackten Frau, die er in dem Brot-und-Butter-Studio des Fotografen gemacht hatte, aufgehoben. Eines hing über seinem Arbeitstisch.

»Ja, das meine ich«, sagte sie und zeigte auf das Bild. Sie ging zu dem Schreibtisch und sah es an. Eschburg stellte sich neben sie. Sofia beugte sich vor, ihr Nacken war schmal.

»Ich mag dieses Bild, es ist ehrlich. Genau so etwas bräuchten wir für die Kampagne«, sagte Sofia. Sie drehte sich zu schnell zu ihm um, ihre Gesichter berührten sich fast. Einen Moment blieben sie so.

»Zeigen Sie mir bitte noch andere Fotos«, sagte sie.

Eschburg legte die Bilder auf den Tisch, die er in den letzten Jahren gemacht hatte. Sie nahm jedes einzelne in die Hand. Manchmal sagte sie: »Das ist gut.« Sie war sich in ihren Urteilen sicher.

»Möchten Sie einen Kaffee?«, fragte er.

Sie schüttelte den Kopf, sie war so konzentriert, dass sie nichts anderes mehr wahrzunehmen schien. Nach einer halben Stunde hatte sie eine Auswahl getroffen.

»Kann ich diese Bilder mitnehmen? Sie bekommen sie zurück«, sagte sie. Das Licht aus den hohen Fenstern fiel auf ihr Gesicht.

»Darf ich Sie fotografieren?«, fragte Eschburg.

Sie lachte. »Ich müsste etwas anderes anziehen, ich sehe furchtbar aus ...«

»Nein, bitte nicht, wir machen es jetzt. Sie werden sehen, es wird gut.«

Er holte die 10 × 15-Laufbodenkamera aus seiner Wohnung, sie war aus Holz, er hatte sie vor Jahren auf einem Flohmarkt gekauft. Manchmal machte er Fotos mit ihr, er mochte ihre Schwere, die komplizierte Mechanik, die umständliche Entwicklung der Bilder in der Dunkelkammer. Er hatte die Kamera für moderne Planfilme umgebaut.

»Sie dürfen sich nicht bewegen«, sagte er, während er die Kamera auf das Stativ schraubte und die Kassette vorbereitete. »Eine Sekunde nur. Die Kamera hat keine Tiefenschärfe, wenn Sie sich bewegen, ist das Bild verloren.«

Sofia stand vor der hinteren Wand des Studios. Plötzlich zog sie den Reißverschluss ihres Kleides auf und ließ es zu Boden gleiten. Sie zog sich aus und stand nackt vor den groben Ziegelsteinen. Obwohl sie Mitte dreißig war, hatte sie den Körper eines jungen Mädchens. Sie faltete ihre Hände auf dem Rücken.

Als er mit dem Bild fertig war, sagte sie, jetzt würde sie gerne etwas trinken. Er holte eine Flasche Wasser aus dem Kühlschrank. Als er zurückkam, hatte sie sich wieder angezogen. Sie schloss die Augen, während sie trank, verschluckte sich, das Wasser lief ihren Hals hinunter. Sie wischte sich mit dem Handrücken über den Mund.

Eine halbe Stunde später ging sie. Auf dem Tisch ließ sie den Vertrag für die Fotos des Energiekonzerns und ihre Visitenkarte liegen. Sie hatte auf die Rückseite ihre Handynummer geschrieben.


In den letzten Jahren hatte es viele Frauen in Eschburgs Leben gegeben. Die Frauen mochten ihn, er hatte es nie besonders schwer. Er schlief mit ihnen, aber es berührte ihn nicht. Meistens erinnerte er sich nach ein paar Tagen nicht mehr an ihre Namen. Wenn er sie zufällig noch einmal traf, war er höflich, blieb aber unverbindlich. Zweimal hatte er geglaubt, dass er eine Frau mochte, aber dieses Gefühl hatte nicht länger als eine Woche gehalten.

Noch in der Nacht entwickelte er das Bild von Sofia. Er vergrößerte es, aber er retuschierte nichts. Er hängte den Abzug an eine Wand im Studio. Der Hintergrund war verschwommen und dunkel, eine Haarsträhne fiel ihr in die Stirn, ihr Gesicht war konzentriert und weiß.

Ihre Arme waren abgeschnitten, sie war nur ein Torso.

**14**

Ein paar Tage später rief Sofia Eschburg an. Sie sagte, sie sei am Wochenende in Paris, ihre Agentur würde ein Abendessen organisieren. Er solle unbedingt kommen, der Stromkonzern würde alles bezahlen. Eschburg packte seine Reisetasche, ihr Foto legte er oben auf die Hemden.

Als er im Charles-de-Gaulle-Flughafen aus der Ankunftshalle kam, sah er sie nicht. Er stand vor den automatischen Türen, Geschäftsleute drängten nach draußen, jemand zog einen Rollkoffer über seinen Fuß. Ein Kind schrie durch die Halle.

Eschburg setzte sich auf eine Bank aus Metall. Er öffnete die Tasche und sah sich das Foto an.

»Es ist gut geworden«, sagte sie. Er hatte nicht bemerkt, wie sie sich neben ihn gesetzt hatte. Sie küsste ihn auf die Wange.

Sie hatte einen Wagen gemietet. Paris sei im Sommer unerträglich, sagte sie, aber Deauville am Meer sei jetzt wunderbar, das Abendessen sei erst in zwei Tagen.

Sie fuhr zu schnell mit dem kleinen Wagen, unterwegs telefonierte sie mit ihren Kunden. Sie hatte zwei Telefone, sie sprach französisch, englisch, arabisch und deutsch. Er sah aus dem Fenster. Irgendwann hörte er sie nicht mehr. Es war ein Fehler, dachte er, und er wusste nicht mehr, warum er neben dieser Frau im Auto saß.

Sofia wollte über die Küstenstraße fahren. Dreißig Kilometer vor Deauville begann es so stark zu regnen, dass sie anhalten mussten. Sofia parkte den Wagen unter einem Baum. Sie beugte sich zu ihm, küsste ihn und öffnete seine Hose. Er hatte eine fast schmerzhafte Erektion. Sie setzte sich auf ihn. Eschburg drehte den Sitz nach hinten. Durch die Rückscheibe sah er einen Radfahrer, der auch Schutz unter dem Baum gesucht hatte. Die Haare hingen ihm ins Gesicht, er starrte Eschburg und Sofia an. Eschburg schloss die Augen. Sofia lag auf ihm, ihr Gesicht neben seinem Gesicht. Ihre Bewegungen, ihr Geruch waren ihm fremd. Die Scheiben des Wagens beschlugen. Nach einer halben Stunde wurde der Regen schwächer und sie fuhren weiter.

In Deauville waren alle Hotels belegt, nur in einer heruntergekommenen Pension fanden sie ein Zimmer. Sie gingen zum Meer. Sie saßen auf einer Bank im Nieselregen, sie berührten sich nicht.

Lange nachdem sie in der Pension eingeschlafen war, stand er auf, ging auf den winzigen Balkon und zog die Tür hinter sich zu. Der Himmel war schwarz, er verschmolz mit dem Meer. Es würde bald wieder regnen. Die Lichtreklame der Pension leuchtete an der Wand über ihm. Er überlegte, ob es einen Zug zurück nach Paris gab, er könnte jetzt gleich zum Bahnhof gehen und nachsehen. Er ging zurück in das Zimmer, suchte im Halbdunkel seine Kleider und zog sich an.

»Geh nicht«, sagte sie.

»Es ist zu kompliziert«, sagte er. Er hatte seine Schuhe in der Hand.

»Das ist es immer«, sagte sie. »Komm.«

Er legte sich in seinen Kleidern auf das Bett neben sie. Er sah den Staub auf den Lamellen der Holzjalousien. Sofias Atem war ruhig und gleichmäßig. Allmählich entspannte er sich.

Sie drehte sich auf den Bauch und stützte ihr Kinn in ihre Hände. »Bist du immer so ernst?«

»Ich weiß nicht«, sagte er.

»Deine Fotos sind ernst. Du machst etwas mit diesen Bildern, was ich noch nicht verstehe. Mein Vater war auch so, aber er ist schon lange tot«, sagte sie. »Wusstest du, dass der Ton deiner Bilder, dieses Sepia, die Tinte des Tintenfisches ist? Manche Ärzte verschreiben sie gegen Depressionen, gegen die Leere und Einsamkeit. Sie sagen, sie könne die verletzte Würde des Menschen heilen.«

Er hörte den Wind und den Regen, der wieder eingesetzt hatte und gegen die Scheiben schlug.

»Was ist mit deinen Eltern?«, fragte sie.

»Ich habe keinen Kontakt zu meiner Mutter.« Sein Mund war trocken.

»Und dein Vater?«

Er antwortete nicht. Dann dachte er an das Haus am See, das jetzt weit weg war, und plötzlich war er dankbar für Sofias Stimme, für ihren Mund und ihre Haare und ihre Haut, die warm und aus Bronze war.

»Hat dich der Radfahrer erregt?«, fragte sie nach einer Weile.

»Du hast ihn gesehen?«, fragte er.

Sie nickte. Dann stand sie auf und öffnete die Tür des Zimmers zum Gang. Sie kam zurück in das Bett, schob sein Hemd nach oben und zog seine Hose aus. Sie küsste seine Brust und seinen Bauch und glitt zwischen seine Beine. Er wollte sie zu sich ziehen, aber sie drückte ihn zurück auf das Bett. Er spürte ihre Brüste auf seinen Oberschenkeln. Sie strich sich die Haare aus dem Gesicht, damit er ihr zusehen konnte.

Er fragte sich, ob das alles etwas bedeute, ob das Zimmer etwas bedeute oder das Bild über dem Sofa oder der Balkon mit dem Gitter aus Eisen. Es musste etwas bedeuten, aber er wusste nicht, was es war.

Er brauchte lange, bis er kam.

Sobald es draußen heller wurde, stand er auf und holte aus dem Frühstücksraum Croissants und Kaffee. Sofia war wieder eingeschlafen. Ihr Mund stand offen, sie sah aus wie ein Kind. Er setzte sich mit dem Kaffee auf den Balkon. Der Strand war vom Regen dunkel.

**15**

Zwei Wochen später saß das Modell für die Werbekampagne auf einem Hocker vor der Ziegelstein-
wand in Eschburgs Atelier. Es würde ein gutes Bild
werden, so wie alle Bilder gut wurden. Eschburg sah
durch den Sucher der Kamera. Er wusste nicht, wie
oft er dieses Foto schon gemacht hatte. Die Frau
hatte Brust und Kopf vorgeschoben, sie straffte ihren
Hals, sie lächelte. Ihr Gesicht hatte eine perfekte
Symmetrie. Die Glieder ihrer Halskette werden auf
dem Bild als Ovale sichtbar sein, sie werden die Hel-
ligkeit ihrer Zähne haben, dachte Eschburg. Er sah
alles vor sich, noch bevor er auf den Auslöser drückte.
Es kam ihm falsch vor, das Bild zu machen. Er konnte
die Menschen vor der Kamera nicht mehr unterscheiden.

»Es tut mir leid«, sagte er leise zu der Frau. »Sie

sind sehr hübsch, aber ich kann Sie nicht fotografieren.«

Das Modell blieb sitzen. Sie sah zu dem Manager der Werbeagentur, dann hörte sie auf zu lächeln. Der Manager begann zu reden, er wurde lauter, er sagte etwas von Bezahlung und Terminen, er drohte mit Schadensersatz und mit Anwälten. Eschburg legte den Apparat vorsichtig in die Holzkiste zurück.

Am Nachmittag ging er in die Alte Nationalgalerie. Das Bild, das er sehen wollte, hing im zweiten Stock. Es war kleiner, als er es in Erinnerung hatte: 1,10 Meter hoch, 1,70 Meter breit, daneben stand auf einem Schild: »Caspar David Friedrich, Mönch am Meer, 1810«. Der Maler hatte das Bild nie signiert, er hatte ihm keine Jahreszahl und keinen Titel gegeben. Die Konstruktion war einfach: Himmel, Meer, Fels. Nichts sonst, keine Häuser, keine Bäume, keine Sträucher. Nur links von der Mitte steht eine winzige Figur mit dem Rücken zum Betrachter, die einzige Vertikale. Friedrich hatte zwei Jahre lang daran gearbeitet, er hatte Depressionen gehabt, während er es malte.

1810 wurde das Bild das erste Mal ausgestellt. Heinrich von Kleist schrieb damals, wenn man es betrachte, sei es, als ob einem die Augenlider weggeschnitten wären.

**16**

Sofia und Eschburg verbrachten jetzt jedes Wochenende zusammen. Eschburg sagte ihr, er könne diese
Fotos nicht mehr machen. Sie schlug vor, nach Madrid
zu fahren, sie wolle ihm dort etwas zeigen. Am Flughafen nahmen sie ein Taxi zum Museum. Sofia hatte
hier einmal gelebt, sie zeigte Eschburg die Häuser, in
denen sie damals gewohnt hatte, sie nannte fremden
Namen, Plätze und Cafés, ihre Stimme wurde dunkel
und leise. Sie erzählte, dass sie damals in einen älte-
ren Mann verliebt gewesen war. Die Liebe hatte drei
Jahre gedauert, dann war er zu seiner Frau und seinen Kindern zurückgegangen. Sie war nach Paris
gezogen und hatte ein anderes Leben begonnen.

Sie betraten den Prado durch den Besuchereingang
»Goya«, durchquerten die Säle der italienischen und

flämischen Malerei, sie gingen an Bildern von Tizian, Tintoretto und Rubens vorbei direkt auf Goyas Bild der Königsfamilie zu. Rechts, im Raum 36, hingen die beiden Bilder mit der Nummer 72 nebeneinander. Beide zeigten dieselbe junge Frau, sie lag auf einem Sofa. Auf dem linken Bild war sie angezogen, auf dem rechten nackt. Die Schuhspitze der Angezogenen zeigte aus jeder Perspektive auf den Betrachter.

Schüler saßen im Halbkreis vor ihrer Lehrerin auf dem Boden. Einige der Mädchen trugen schon Lippenstift. Die Lehrerin ließ ihre Schüler die Unterschiede der beiden Bilder beschreiben, Sofia übersetzte. Ein Mädchen sagte, die angezogene Frau auf dem Bild sei rot, weil sie sich schäme, aber die Nackte sei blass und schaue niemanden an. Das verstehe sie nicht, es müsste doch umgekehrt sein. Die Lehrerin erklärte, Goya habe »die nackte und die bekleidete Maja« für den Premierminister gemalt. Die Gemälde seien durch einen Klappmechanismus verbunden gewesen, entweder sei die eine oder die andere Seite zu sehen gewesen, also entweder die nackte oder die angezogene Frau. Der Minister habe sie in sein »erotisches Kabinett« gehängt. Später habe die Inquisition die Bilder wegschließen lassen.

Das Mädchen wollte wissen, was ein »erotisches Kabinett« ist, und die Lehrerin versuchte es zu erklären. Sie sagte, die »nackte Maja« sei das erste spanische Bild gewesen, auf dem das Schamhaar einer Frau zu sehen sei. Ein Junge stieß seinem Freund den Ellbogen in die Rippen und grinste. Die Lehrerin sagte etwas zu dem Jungen, was Sofia nicht verstand, und dann grinste der Junge noch mehr und wurde rot und eines der Mädchen mit den geschminkten Lippen sagte, er sei noch immer ein Baby. Die Lehrerin stand auf und ging mit den Schülern in den nächsten Saal.

Für einen kurzen Moment waren Sofia und Eschburg mit den Bildern allein. Sofia sagte, vor »Maja« hätten die Maler nackte Frauen nur als Engel, Nymphen, Göttinnen oder in historischen Szenen gezeigt. Die Männer konnten sie ansehen, ohne sich zu schämen. »Maja ist nicht so. Sie hat große Brüste, eine schmale Taille, rot geschminkte Lippen. Sie weiß, wie schön sie ist, und sie weiß, was sie tut«, sagte sie.

Eschburg dachte an den anderen Mann, der mit Sofia in dieser Stadt geschlafen hatte. Er dachte daran, wie der andere Mann ihren Körper berührt hatte, ihre Haut unter dem Sommerkleid, ihre Schlüsselbeine und die blasse Narbe über ihrer linken Augenbraue.

»Verstehst du, Sebastian, Goya stellte mit dem Bild die Männer seiner Zeit bloß: Sie starrten nur noch eine nackte Frau an, keinen Engel und keine Göttin.

Sie hatten keine Ausrede mehr. So wurden diese Männer nackt, nicht Maja«, sagte Sofia.

Auf einer Tafel neben den Bildern stand auf Spanisch und Englisch, dass unklar sei, ob Maja die Herzogin von Alba oder eine andere Frau ist.

»Wer ist die Herzogin von Alba?«, fragte Eschburg.

»Wahrscheinlich war sie die Geliebte Goyas«, sagte Sofia. »Goya verbrachte einen Sommer auf ihrem Landgut, ihr Mann war zuvor gestorben. Er malte ein Bild für sie, eine Liebeserklärung. Die Herzogin, ganz in Schwarz, zeigt auf den Boden. Dort steht im Sand: ›solo Goya‹, ›allein Goya‹. Aber das Wort ›solo‹ bedeutet auch ›nur‹. Der Geliebte der Herzogin war ›nur Goya‹, nur der Maler, ein Niemand. Viele Leute glauben, die Maja sei diese Herzogin. Vielleicht stimmt es, vielleicht aber auch nicht.«

Sie blieben noch lange in dem kleinen Saal vor den beiden Gemälden stehen. Es war warm. Sofia stand neben ihm, sie war lebendig und atmete und sie gehörte hier ganz zu ihm. Und dann hatte er Angst, sie zu verlieren, weil er war, wie er war.

»Maja ist das richtige Bild«, sagte er.

Später gingen sie in jedes Antiquitätengeschäft auf dem Weg. Endlich fand sie, was sie suchte: eine alte Zigarrenkiste aus Blech, auf ihrem Deckel war ein Bild der »nackten Maja«, die Farben waren ausgeblichen. Sie sagte, früher habe es überall diese Kistchen gegeben, die Zigarren hießen »Goya«. Der Antiquitätenhändler sagte, sie würden immer noch auf den Kanarischen Inseln hergestellt.

Auf der Straße hängte Sofia sich bei ihm ein.

»Möchtest du Kinder?«, fragte sie plötzlich. Sie stellte die Frage, als ob es nur eine Frage wäre.

Eschburg sah sie nicht an.

Eine alte Frau schob einen Einkaufswagen über den Bürgersteig, er war verrostet, ein Rad blockierte und sie konnte ihn nicht gerade halten. Der Wagen war voller Plastiktüten und Stofftaschen. Es ist alles, was die alte Frau besitzt, dachte Eschburg.

Er legte seinen Arm um Sofia und zog sie zu sich. Er wollte ihr antworten, aber sie drehte sich zu ihm um und schüttelte den Kopf.

»Es war zu früh«, sagte sie und küsste ihn.

Er kam sich schief vor und dumm.

Die Frau mit dem Einkaufswagen blieb stehen. Sie spuckte auf den Boden.

Eschburg suchte in seinen Taschen nach Zigaretten. Sofia sagte, sie habe Hunger. Sie gingen zu einem Restaurant in der Calle Toledo, das sie kannte. An den Wänden im ersten Stock hingen Bilder von spanischen Filmstars. Sie aßen eine Portion Pimientos de Padrón, grüne Paprikaschoten in heißem Olivenöl mit grobem Meersalz.

Im Hotel kam die trockene Hitze der Stadt durch die offenen Fenster.

»Du bist nie ganz da«, sagte sie. »Es ist immer nur ein Teil von dir da, aber ein anderer Teil ist nicht da.«

Sie hatten sich ausgezogen und lagen auf dem Bett.

»Ich liebe es, dass du anders bist, aber ich denke oft, dass dir etwas fehlt. Es geht dir nicht gut«, sagte sie.

»Du musst mir helfen«, sagte er.

»Wobei?«, fragte sie.

»Bei allem«, sagte er, weil er nicht wusste, was er sagen sollte.

Er konnte es ihr nicht erklären, er dachte in Bildern und Farben, nicht in Worten. Er konnte ihr nichts über den Schuss im Haus am See sagen, nichts über den Schnitt durch den Bauch des Rehs. Noch nicht.

»Was suchst du, Sebastian? Kannst du das sagen?«, fragte sie.

Er schüttelte den Kopf. Niemand kann den anderen verstehen, dachte er.

»Es ist schwierig, mit dir zu leben«, sagte sie müde.

Plötzlich war er sicher, dass es mit ihr gut gehen würde. Irgendwann würde sie es verstehen, den Nebel, die Leere und die Taubheit. Im nächsten Moment wollte er wieder alleine sein, warten, bis die Dinge sich ordneten und es ruhig wurde.

Sie hörten die Touristen auf dem Platz vor dem Hotel. Sie lag auf seinem Arm, der eingeschlafen war, aber Eschburg traute sich nicht, sich zu bewegen. Er fühlte ihre Haut auf seiner Haut und dachte an die Farben der Malven. Sie war voller Leben und er war sich fremd. Er wusste nicht mehr, ob das, was er sah, wirklich war.

Er wusste nur, dass er sie verletzen würde.

## 17

Sofia und Eschburg hatten sich verfahren, sie kamen eine Viertelstunde zu spät. Die Wegbeschreibung war nicht besonders kompliziert gewesen, aber es gab dort keine Straßen mehr und keine Schilder, es gab nur Feld- und Waldwege. Sie waren in der Nähe des alten Hauses am See.

Das Haus, zu dem sie wollten, war klein und viereckig. Es lag ganz oben auf einem Hügel, umgeben von Wald, die Bäume waren höher als das Haus.

Der Mann hatte sie erwartet. Er kam die Stufen zwischen den Stauden herunter. Er trug eine schwarze Lederjacke und eine schwarze Sonnenbrille und nichts davon passte zu dem Haus. Er war Pornoproduzent, und er sah aus wie ein Pornoproduzent.

Aber als er die Brille abnahm, sah er nur noch aus wie ein alter Mann mit grauen Augen.

Während sie die Stufen zum Haus hochstiegen, sagte der Pornoproduzent, im Winter könne man das Haus nur mit Schneeketten oder einem Unimog erreichen, der nächste Nachbar sei 15 Kilometer entfernt. Das Haus habe früher einem Vogelfänger gehört. Es habe diesen Beruf wirklich gegeben, sie hätten Singvögel in den Wäldern gefangen und dann auf den Märkten in der Stadt verkauft. Er habe das recherchiert, sagte er.

Drinnen zog der Pornoproduzent die Lederjacke aus und hängte sie neben die Tür. Er zeigte Sofia und Eschburg das Wohnzimmer, sie setzten sich auf das Sofa. Der Pornoproduzent ging in die Küche, um Kaffee zu kochen. Das Haus hatte niedrige Decken und roch nach feuchter Erde. An den Wänden in seinem Wohnzimmer hingen Fotos von exotischen Vögeln in rahmenlosen Glashaltern. Unter den Fotos stand: »Japurá, 6:35 Uhr« oder »Mantaro, 20:49 Uhr« oder »Juruá, 14:17«. Nach einiger Zeit kam der Pornoproduzent mit einem Tablett zurück, die Tassen waren dünn, sie stießen gegeneinander. Eschburg überlegte, wonach die Fotos geordnet waren.

»Ich verstehe nicht«, sagte der Pornoproduzent, nachdem er sich auf den einzigen Sessel gesetzt hatte, »warum Sie dieses Foto machen wollen. Es wird Ihnen in meinem Studio nicht gefallen, glaube ich. Vor zwanzig Jahren ist es noch anders gewesen, aber heute gibt es keine Drehbücher mehr für diese Filme. Einer meiner Drehbuchautoren ist zum Fernsehen gegangen, er schreibt jetzt Krankenhausserien. Heute kann jeder filmen. Jede Hausfrau, die Geld für die Miete braucht, hat ihre eigene Webseite mit Kamera. Wer als Produzent überleben will, muss sich spezialisieren.«

Der Pornoproduzent hatte große Hände. Er legte sie nie auf den Tisch, so, als würde er sich dafür schämen. Er führte bei allen Filmen, die er produzierte, auch selbst die Regie.

Der Pornoproduzent hatte Bienenstich und Himbeerkuchen im Dorf gekauft. Der Himbeerkuchen sei sehr gut, sagte er zu Sofia und lächelte, sie müsse ihn unbedingt probieren.

»Ich musste mich spezialisieren, es ging nicht anders. Ich mache jetzt Filme mit vielen Leuten, Massenszenen, das ist für Amateure nicht so leicht nachzumachen.«

Eschburg und Sofia hatten sich zwei seiner Filme angesehen. In jedem spielte nur eine Frau mit, eine junge Frau. Die Frauen wirkten nicht wie professionelle Darstellerinnen, eher wie Studentinnen oder Auszubildende. Zuerst interviewte der Pornoproduzent die junge Frau vor der Kamera. Er sprach ganz normal mit ihr, so, wie man redet, wenn man jemanden kennenlernt. Er fragte, wie alt sie sei, woher sie komme, was sie interessiere. Während er mit ihr sprach, kamen Männer dazu. Die Kamera sah nur ihre Schwänze. Die Männer spritzten der Frau ihr Sperma ins Gesicht. Die Frau redete dabei weiter über alltägliche Dinge. Sie durfte das Sperma nicht abwischen. Nach dem Interview mit dem Pornoproduzenten ging die Kamera zurück. Die Frau musste dann weitere Männer oral befriedigen, 25 oder 30 Männer. Für jeden Mann hatte sie höchstens eine Minute. Nachdem alle Männer auf das Gesicht der Frau gespritzt hatten, begleitete die Kamera die Frau ins Bad. Während sie sich wusch, interviewte der Pornoproduzent sie noch einmal. Er fragte sie dann, wie sie es gefunden habe.

Der Pornoproduzent aß ein Stück von dem Himbeerkuchen. »So ein Film besteht aus vielen Kleinigkeiten«, sagte er. »Ich habe auch mit den Kulissen experimentiert, jetzt verwende ich nur noch schwarze Wände und Böden.«

Sofia erklärte dem Pornoproduzenten, wie das Bild Eschburgs aussehen würde und was sie im Studio umbauen müssten. Sie legte Zeichnungen auf den Tisch. Der Pornoproduzent sah sich alles genau an, er stellte Fragen zu den Einzelheiten. Als sie über das Geld sprachen, fragte Eschburg, wie er die Männer bezahlen solle.

»Ich bezahle die Männer überhaupt nicht«, sagte der Pornoproduzent. »Das sind Amateure. Sie müssen nur einen neuen Aidstest vorlegen, darauf bestehe ich zum Schutz der Frauen. Und sie müssen sich die Genitalien rasieren. Aber das sind die einzigen Voraussetzungen. Es kommen immer mehr Bewerber, als ich brauche. Wenn Sie ihnen Geld geben wollen, ist das Ihre Sache, aber es wird nicht viel kosten.«

Der erfolgreichste Film des Pornoproduzenten war »Venus im Spermabad«. Er hatte dafür den Preis der Erotikfilmindustrie bekommen, so etwas wie eine Platinschallplatte für Musikproduzenten.

Der Pornoproduzent trank seinen Kaffee, er hatte viel geredet und sah jetzt noch müder aus. Es war plötzlich sehr still. Eschburg sah aus dem Fenster. Vor dem Haus lagerte ein Stapel frisches Brennholz, die Scheite waren ordentlich übereinandergeschichtet, sie würden bis zum nächsten Winter trocken sein. Dahinter war die Wiese und dahinter begann der Wald.

Eschburg dachte an Botticellis Gemälde »Die Geburt der Venus«. Kronos schneidet seinem Vater Uranos die Genitalien ab und wirft sie hinter sich ins

Meer. Durch das Blut und den Samen schäumt das Meer und gebiert die Venus. Botticelli malte ihr schönes Gesicht ernst, bei ihm bleibt sie den Dingen fern: Sie versteht, sie bedauert, aber sie wird nie Teil dieser Welt.

»Ich würde lieber andere Filme machen«, sagte der Pornoproduzent in das Schweigen. »Ich habe schon daran gedacht, einen Dokumentarfilm über den Zug der Vögel nach Afrika zu machen. Wussten Sie, dass manche Vögel fünftausend Kilometer weit in die Wärme fliegen? Nein, wirklich, sie tun das. Sie spüren den Neigungswinkel des Erdmagneten. Aber seit einigen Jahren fliegen immer weniger Vögel in den Süden. Es liegt an der Klimaveränderung, der warme Golfstrom und der kalte Humboldtstrom werden umgelenkt.«

Der Pornoproduzent hatte jetzt eine weiche Stimme.

»Ich glaube sogar«, sagte er, »das Zugsystem wird bald ganz verschwinden. Schon heute bleiben die Stare im Winter in den Städten. Vielleicht werde ich diesen Film eines Tages machen.«

Sie saßen noch eine Weile im Wohnzimmer. Der Pornoproduzent erzählte von seiner Tochter, die Archäologie studieren wolle. Dann stand er plötzlich auf, ging wortlos zur Tür und zog seine Lederjacke wieder an. Auf dem Wollkragen lag ein Span vom Holzhacken. Er brachte Sofia und Eschburg zum Wagen. Er sagte, sie könnten kommen, wann sie wollten, er drehe jede Woche einen Film.

Sie fuhren zurück durch den Wald, es war kühler geworden, die Bäume spiegelten sich im Lack auf der Motorhaube. Eschburg sagte, die Vögel an den Wänden seien nach Farben sortiert, nicht nach den Nebenflüssen des Amazonas. Sofia hatte Tränen in den Augen.

Er wollte ihr noch das alte Haus am See zeigen. Das Dorf hatte sich verändert, die Apotheke gab es nicht mehr, dafür zwei Straßencafés und einen modernen Brunnen aus Metall. Die Straße war neu asphaltiert. Die schiefe Buchsbaumhecke und die Auffahrt vor dem Haus waren verschwunden. Dort war jetzt ein Parkplatz, die Autos sahen teuer aus, sie hatten Nummernschilder aus München und Starnberg. In dem Park standen Ferienhäuser aus Holz, sie waren weiß gestrichen, hatten eine Veranda zum See und waren alle gleich groß.

Das alte Haus war renoviert worden, die Dächer neu gedeckt und die Fenster im ersten Stock bis zum Boden vergrößert. Neben der Treppe stand ein Schild: »Zutritt nur für Mitglieder des Golfresorts«.

Sie gingen zum See. Steg, Bootshaus und Stall waren abgerissen, die Kapelle war ein Abstellraum für Golfwagen. Es gab neue Wege aus weißem Kies zwischen den Ferienhäusern und neue Blumenrabatten und es standen wetterfeste Plastikbänke auf dem Rasen. Hinter dem Haus war eine große Terrasse aus Teakholz, Menschen saßen dort unter Sonnenschirmen, sie hatten gelbe und rote Pullunder an und trugen karierte Hosen und Röcke.

»Es tut mir so leid«, sagte Sofia.

Eschburg wollte ihr von dem verrosteten Wetterhahn auf dem Dach erzählen. Er wollte ihr sagen, dass hier die Farben aus Bronze gewesen waren, aus Zitronen- und Kadmiumgelb, aus Cyan, Olive und Chromoxidgrün, aus gebranntem Siena und Sand. Er wollte ihr sagen, dass die Wirklichkeit schneller sei als er, dass er einfach nicht mitkomme. Die Dinge passierten und er sehe nur zu.

»Dort stand das Bootshaus«, sagte er nur.

Ein Mann mit blauem Jackett kam über den Rasen. »Entschuldigen Sie bitte, sind Sie Mitglieder?«, fragte der Mann. Er war jung und höflich und er hatte sehr weiße Zähne.

»Nein«, sagte Eschburg.

»Dann muss ich Sie leider bitten, das Resort zu verlassen.«

Nur der See hatte sich nicht verändert, das Schilf war noch da und die dunkelgrünen Bäume und der Blütenstaub, der auf dem Wasser trieb.

»Das verstehe ich«, sagte Eschburg.

Auf der Fahrt zum Flughafen hielten sie an einer Tankstelle. Während Eschburg im Verkaufsraum auf Sofia wartete, blätterte er in den Zeitschriften, die im Regal über den Süßigkeiten und Chips lagen. Die Schlagzeile einer Boulevardzeitung hieß, die Menschheit sei längst pleite, sie habe 50 000 Milliarden Euro Schulden. Eschburg verstand nicht, wem die Menschheit das Geld schuldete. Er kaufte sich Zigaretten und ein neues Feuerzeug aus Plastik. Auf dem Weg zum Wagen wurde ihm schlecht. Er übergab sich zwischen den Zapfsäulen.

Ein paar Stunden später saßen sie wieder im Flugzeug nach Berlin. Sie ist die erste Frau, mit der ich es mir vorstellen kann, dachte er. Mit ihr ist es möglich, das Alleinsein und die Stille. Er legte seine Hand auf ihre Hand und hielt sie fest.

Sofia sah ihn an wie einen Fremden.

Sie konnten von oben die ordentlichen Felder erkennen, abgezirkelte Streifen, Vierecke aus Mais und aus Klee. Die Ordnung beruhigte Eschburg.

# 18

Eschburg arbeitete zwei Monate lang an den Bildern. Er gab ihnen den Titel »Majas Männer«. Sofia lag dort auf einem Sofa. Ein Bühnenbildner hatte das Sofa von Goyas Gemälde nachgebaut. Auf dem ersten Bild war Sofia nackt. Um sie standen 16 Männer in Anzügen und starrten sie an. Sofia lag in der gleichen Haltung und war so geschminkt wie Goyas Maja. Die Perspektive der Kamera war die Perspektive Goyas.

Auf dem zweiten Bild trug Sofia die Kleider der Maja. Die Männer standen so wie auf dem ersten Bild, aber jetzt waren sie nackt. Mit der gleichen Kopfhaltung starrten sie Sofia an, ihre Schwänze waren steif, sie zeigten auf das Gesicht und auf den Körper Sofias. Zwei der Männer hatten ihr Sperma auf Sofias Bluse gespritzt.

Es waren die Amateurdarsteller des Pornoprodu-
zenten. Sie waren unterschiedlich groß, einige hat-
ten einen Bauch, einer hatte ein Pflaster auf seinem
Unterarm, fünf trugen einen Bart, vier eine Brille.
Die Kamera hatte überscharf jede Hautrötung, jedes
Haar erfasst.

Eschburg hatte die Fotos im Studio des Pornoproduzenten gemacht. Er hatte eine Hasselblad 503 CW
und ein digitales Rückteil mit 39 Megapixeln verwen-
det. Die Fotos waren bei Grieger in Düsseldorf auf
einem LightJet 500 XL im Format 1,80 × 3,00 Meter
belichtet und auf Acrylplatten gezogen worden.

Die beiden Platten hingen hintereinander. Es war
nur das Bild der nackten Sofia und der angezogenen Männer zu sehen. In einem Zwei-Minuten-
Rhythmus schob ein Elektromotor über Scharniere
die vordere Platte nach oben und gab das darunter-
liegende Bild mit den nackten Männern frei. Danach
glitt das Foto wieder zurück.

Nachdem die Handwerker den Elektromotor instal-
liert hatten, stieg Eschburg über die eiserne Außentreppe auf das Dach des Fabrikgebäudes. Als er vor
vier Jahren in die Linienstraße gezogen war, hatte er
im ersten Sommer manchmal dort oben übernach-
tet, die beiden Kastanien im Hof erinnerten ihn
an zu Hause. Später dachte er oft darüber nach, warum er an diesem Tag auf das Dach gestiegen war,

vielleicht war es die Hitze gewesen oder die Müdigkeit oder etwas anderes, wofür es keine Erklärung gab.

Auf der Hollywoodschaukel, die immer schon auf dem Dach gestanden hatte, lag eine Frau. Sie trug Espadrilles und einen Kimono aus Seide, der alt und schmutzig aussah. Eschburg wollte wieder gehen.

»Bleiben Sie ruhig«, sagte die Frau.

Der Teer war von der Hitze weich. Die Frau hatte eine helle Narbe auf ihrer Stirn.

»Wir haben uns einmal getroffen, vor Jahren, als ich eingezogen bin«, sagte Eschburg.

»Senja Finks«, sagte die Frau. »Ich gebe Ihnen nicht die Hand, es ist zu heiß.«

Sie war Mitte dreißig. Ihre Haare waren unter einem Tuch, sie trug eine große Sonnenbrille. Sie wirkte etwas verwahrlost.

»Setzen Sie sich«, sagte sie.

Das Polster war fleckig und eingerissen, der gelbe Schaumstoff quoll hervor.

»Wollen Sie ein Bier?«, fragte Senja Finks. »Es ist kalt.«

»Haben Sie noch was anderes?«

»Nur Bier.«

»Dann nehme ich eines«, sagte Eschburg.

Senja Finks schob den Deckel einer Kühlbox auf, entnahm eine Flasche und öffnete sie mit einem Plastikfeuerzeug. Die Schaukel bewegte sich langsam vor und zurück. Ihr Parfum roch nach Zedern und Erde.

»Sie machen Fotos?«, fragte Senja Finks.

»Ja«, sagte Eschburg.

Sie nahm sich selbst noch ein Bier aus der Kühltruhe. Als sie es öffnete, spritzte Schaum auf ihren Kimono, auf ihr nacktes Knie und auf den Boden. Der Schaum trocknete schnell auf dem warmen Dach, es blieb ein weißer Umriss zurück.

»Woher kommen Sie?«, fragte Eschburg, weil er glaubte, etwas fragen zu müssen. »Ich meine, wegen Ihres Akzents.«

»Odessa, Schwarzes Meer. Ich bin seit mehr als zehn Jahren hier.« Sie wischte sich mit dem Handrücken über den Mund.

»Und was machen Sie?«, fragte Eschburg.

»Nichts«, sagte sie. Nach einer Weile fügte sie hinzu: »Ich habe schon alles gemacht.«

Eschburg dachte über ihren letzten Satz nach und jetzt störte es ihn nicht mehr zu schweigen. Sie tranken das Bier, Senja Finks drehte sich Zigaretten aus dunklem Tabak und rauchte. Irgendwann nickte Eschburg ein.

Als er wieder wach wurde, wusste er nicht, wie viel Zeit vergangen war. Er sagte, er müsse jetzt gehen. Er stieß mit dem Knie gegen den Eisentisch, eine halb volle Flasche kippte um. Senja Finks war so schnell, dass Eschburg ihre Bewegung nicht sah. Es war eine mechanische Reaktion, unbewusst, präzise, sicher. Sie fing die Flasche mit der linken Hand, bevor sie auf dem Boden zerplatzen konnte. Ihr Atem beschleunigte sich nicht.

Ihr Kimono hatte sich geöffnet. Ihr Bauch war flach und hart. Eschburg sah die Narben, sie zogen sich über den ganzen Oberkörper, lange Striemen wie von einer Peitsche. Unter ihrer linken Brust war eine Eule. Zuerst dachte er, es sei ein Tattoo, aber dann begriff er es: Jemand hatte mit einem Eisen das Bild auf ihre Haut gebrannt.

**19**

Die Ausstellung von »Majas Männer« war ein Erfolg.
Ein Kulturmagazin im Fernsehen hatte einen Vor-
bericht gezeigt. Am Nachmittag der Eröffnung war
vor der Galerie eine Menschenschlange.

Sofia trug ein schwarzes Kleid, ihre Haare hatte sie
zurückgebunden, sie war schmal und elegant und sie
bewegte sich sicher zwischen den Gästen. Sie sprach
mit jedem, verteilte Visitenkarten, sie lachte und war
im nächsten Moment wieder ernst.

Er dachte an die Laufmasche in ihrer Strumpf-
hose, über die sie sich vor der Ausstellung geärgert
hatte, und daran, wie sie morgens in der Küche
aus dem Fenster gesehen hatte, ohne zu sprechen.
Sie hatte einen kleinen Jungen beobachtet, der
auf dem Hof spielte. Dann hatte sie sich zu ihm
umgedreht und er hatte die Frage gesehen, die sie

nicht mehr stellte und die er nicht beantworten konnte.

Eschburg sah zu Sofia. Das alles ist nur mit ihr möglich, dachte er, das Fotografieren und das Weitermachen und das Ertragen.

Eschburg verließ die Vernissage, ging zurück in die Linienstraße, packte ein paar Sachen ein und fuhr in das Stadtbad Charlottenburg. Es war 1898 gebaut worden, drei Stockwerke hoch, eine Jugendstilfassade aus roten Ziegelsteinen, das Dach eine Stahlkonstruktion wie bei einer Markthalle.

Er ging durch das grüne Eisentor. Um diese Zeit war er fast immer alleine hier. Er zog sich um, duschte und ließ sich an der Treppe in das Schwimmbecken gleiten. Er schwamm ein paar Runden, schnell und gleichmäßig. Dann drehte er sich auf den Rücken und sah durch das hohe Glasdach in den Himmel. Er atmete aus und sank auf den Boden des Beckens. Er blieb unter Wasser, bis es schmerzte. Die Samurai des alten Japan waren jeden Morgen mit dem Satz aufgestanden: »Du bist tot.« Das Sterben wurde so leichter. Daran dachte er jetzt und nichts fehlte ihm.

Eschburg fuhr zurück in das Atelier. Auf der Oranienburger Straße standen Prostituierte in hochhackigen Schuhen, ihre Perücken waren sehr blond oder sehr schwarz und der Schweiß hinterließ in ihrer Schminke dünne Furchen.

Vor der Galerie war noch immer eine Schlange. Eschburg ging weiter bis zu einem Programmkino. Er kaufte eine Karte für den Film, der gerade angefangen hatte. Er setzte sich in die letzte Reihe an den Rand. Der Ton im Kino war zu laut und die Schnitte im Film waren zu schnell, er konnte der Handlung nicht folgen.

Nach einer halben Stunde verließ er den Kinosaal wieder. Es war kaum kühler geworden. Die Bürgersteige waren voller Menschen, vor einem Straßenrestaurant spielten Musiker, ein paar betrunkene Touristen tanzten.

Er ging durch die Straßen, bis er müde wurde. An einer Baustelle blieb er stehen. Es roch nach Abwasser und Kot. Eschburg sah hinunter. Zwischen den Rohren lag ein Fuchs, sein Fell war nass und voller Sand. Er starrte den toten Fuchs an und dann glaubte er, der Fuchs starre ihn an.

## 20

Als Eschburg am nächsten Morgen ins Atelier kam, saß Sofia schon am Arbeitstisch.

»>Majas Männer‹ wurde gestern verkauft«, sagte sie. »Ein Japaner. Du bist jetzt reich.« Sie lachte.

Die Eisenhaken waren noch in der Wand des Studios.

»Ohne dich wäre das nie gegangen«, sagte er.

Sie sah glücklich und müde aus.

»Sollen wir wegfahren?«, fragte er. »Wir könnten ein Haus auf Mallorca mieten.«

»Ja«, sagte sie.

Sie hatten die letzten Nächte vor der Ausstellung kaum geschlafen. Sofia setzte sich an den Computer, um Ferienhäuser zu suchen. Früh am nächsten Tag flogen sie.

Sie mieteten einen Wagen am Flughafen und fuhren über die Schnellstraße nach Santanyí im Südosten der Insel. Die Klimaanlage war defekt, Sofia band sich ein Tuch um die Haare und ließ das Fenster herunter. Die Luft war salzig und heiß. Sie hielten in Llucmajor.

Der Espresso im Café Colon war verbrannt, Marktfrauen redeten an der Bar durcheinander, der Spielautomat lief. Sie kauften ein paar Sachen in einem Lebensmittelgeschäft und stiegen wieder in den Wagen. Hinter S'Alqueria Blanca bogen sie von der Hauptstraße ab und fuhren zwischen engen Mauern hoch zum Haus.

Am Abend rösteten sie dunkles Brot und rieben es mit Olivenöl, Tomaten und Knoblauch ein. Das Meer war fast zwei Kilometer entfernt, aber noch hier oben roch es nach Algen. Sie saßen auf der Terrasse, über die Mandelbäume und Aleppokiefern konnten sie in die Ebene sehen und weiter bis zum Meer. Die Erde war vom Eisenoxid rot.

Er wachte von der Fehlzündung eines Motorrads auf, irgendwo unten auf der Straße. Sofia lag nicht mehr neben ihm. Er ging in den Garten. Sie saß auf einem Liegestuhl neben dem Pool.

»Vielleicht sind das die letzten Tage«, sagte sie.

Er sah sie an. Das Licht der Unterwasserbeleuchtung des Pools war grün-blau.

»Was meinst du?« Er war wach und gleichzeitig stumpf. Er wollte zurück ins Bett.

»Ich habe Angst, dass du nicht mehr da bist. Und ich habe Angst vor deinen Phantasien. Es ist so anstrengend, dich zu lieben.« Sie schwieg und Eschburg schwieg. Dann sagte sie: »Wer bist du, Sebastian?«

Eschburg stand auf und holte eine Flasche Wasser. Als er zurückkam, hatte sich das Licht im Pool abgeschaltet. Er legte sich zu ihr, umfasste mit einer Hand ihren Nacken und schloss die Augen. Er dachte an die Farbe der Haferkörner, die er mit zwei Fingern von den Halmen gezogen hatte, und an die Farbe des Schilfs am Bootshaus, der scharf war und in die Beine schnitt.

»Du bist immer noch fremd«, sagte sie.

»Es tut mir leid«, sagte Eschburg. Weit draußen sah er die Schiffe, die wandernden Lichter, Bernstein, Achat und Karneol, und dann wartete er auf die Stille zwischen den Sätzen, sein einziges Maß der Nähe zu einem anderen Menschen.

In der Nacht brachte der Wind den Sand aus Afrika und am Morgen war alles von einer dünnen blassgelben Schicht überzogen.

## 21

Nach einer Woche flogen sie getrennt zurück, Sofia musste nach Paris, Eschburg wollte nach Berlin. Am Flughafen nahm er ein Taxi in die Linienstraße.

Er trug seinen Koffer in den ersten Stock. Die Tür seiner Nachbarin stand weit offen. Eschburg sah in die Wohnung. Sie war fast leer, nur ein Sofa und ein kleiner Tisch standen in der Mitte des Raumes.

Auf dem Sofa lag eine Frau. Sie war nackt. Eschburg konnte ihr Gesicht nicht sehen, sie hatte ihren Kopf über die Armlehne des Sofas gelegt und bewegte sich nicht. Einen kurzen Moment lang dachte er, die Frau sei tot. Er wollte zu ihr gehen, aber in diesem Moment trat Senja Finks vor ihn. Sie hatte neben der Tür gestanden. Sie nickte Eschburg zu, langsam und ernst. Dann legte sie ihre rechte Hand auf seine Brust, schob ihn sanft zurück auf den Flur und schloss die schwere Tür. Sie sprach kein Wort.

Eschburg ging in seine Wohnung, packte die Koffer aus und legte sich ins Bett. Er schlief unruhig. Als er gegen fünf Uhr nachts aufwachte, spürte er, dass er nicht alleine war. Die Wohnung lag im Dunkeln. Er wartete mit geschlossenen Augen, er bewegte sich nicht. Plötzlich roch es nach Zedern. Und dann spürte er ihren Atem auf seinem Gesicht.

## 22

In den nächsten Tagen räumte Eschburg das Atelier auf. Er strich die Stellwände, erledigte die Post, nahm seine Kameras auseinander und reinigte sie, er telefonierte mit seinem Galeristen und seinem Verleger, ging zum Friseur und kaufte sich neue Hosen. Er machte lange Spaziergänge durch die Stadt und die Parks, besuchte Ausstellungen und saß stundenlang im Caféhaus, ohne etwas zu tun. Er merkte, dass er es nicht gut ohne Sofia aushielt.

Nach zehn Tagen flog er nach Paris. Sofias Agentur richtete an diesem Abend einen Empfang für eine Tierschutzorganisation aus. Eschburg fuhr direkt vom Flughafen dorthin. Der Empfang fand im Hôtel de Crillon an der Place de la Concorde statt. Die Frauen trugen lange Kleider, die Männer Smoking.

Eschburg langweilte sich. Auf der Toilette zog ein junger Mann eine Linie Koks, sein linkes Ohrläppchen war um einen ungefähr zwanzig Millimeter dicken, leuchtend grünen Silikonring gedehnt. Eschburg ging vor das Hotel und sah dem Verkehr zu.

Um ein Uhr nachts durfte Sofia gehen. Ein Fahrer der Agentur brachte sie in ihre Wohnung, drei winzige Zimmer im 10. Arrondissement. Über ihrem Bett hing das Foto, das Eschburg von ihr gemacht hatte. Er hatte es auf 1,50 × 1,50 Meter vergrößert. Es war das einzige Bild in ihrer Wohnung. Sofia sagte, sie freue sich so, dass er gekommen sei. Dann fiel sie auf das Bett und schlief sofort ein.

Zwischen Schlaf- und Wohnzimmer waren Schiebetüren aus Glas. Er beobachtete Sofia durch dieses Glas und gleichzeitig sah er sein Spiegelbild: Ihr Gesicht war auf seinem Gesicht. Er stand lange so und beobachtete sie, während sie schlief.

——

Nach dem Wochenende flog er zurück nach Berlin. Er ging in die Staatsbibliothek und suchte Bücher über Sir Francis Galton, einen Cousin Darwins, der Anfang des 19. Jahrhunderts in England geboren worden war. Galton erfand die Wetterkarte und die Identifikation über Fingerabdrücke. Er war überzeugt, alle Verbrecher hätten sichtbare Merkmale, die sie von anderen Menschen unterschieden. Galton hatte lange überlegt, wie er diese Merkmale zeigen könnte, dann stellte er seinen Fotoapparat im Gefängnis von London auf und ließ sich Gefangene vorführen. Er fotografierte alle Gesichter übereinander auf eine einzige Fotoplatte. Galton wusste nicht, wie das Böse aussieht – es hätten die Augen, die Stirn, die Ohren oder die Münder sein können. Galton war erstaunt, als er das Foto zum ersten Mal sah: Es gab keine außergewöhnlichen Merkmale – das Gesicht aus den vielen Verbrechern war schön.

Eschburg las viel in diesen Tagen, er schrieb ein Notizbuch voll, nachts zeichnete er Skizzen für eine Installation. Nach vier Wochen buchte er von einer Schauspieleragentur 38 Frauen. Er nannte nur wenige Voraussetzungen: Alle Frauen sollten in etwa gleich groß sein, sie sollten zwischen 18 und 22 Jahre alt sein, Kleidergröße 36 haben und sie sollten bereit sein, Nacktbilder von sich machen zu lassen.

Ein Gestell auf einem Holzpodest zwang die Modelle, die gleiche Kopf- und Körperhaltung einzunehmen. Eschburg fotografierte sie nacheinander frontal mit einer $8 \times 10$-Deardorff-Kamera auf Polaroid, die Bilder belichtete er 15 Sekunden lang.

Die Polaroids wurden hellgrau, sie sahen aus wie weiche Bleistiftzeichnungen. Die lange Belichtungszeit ließ alles Unwesentliche verschwinden, nur die

Linien der Körper und Gesichter blieben sichtbar. Später ließ Eschburg die Polaroids scannen, auf zwei Quadratmeter vergrößern und auf dünne Plexiglasplatten drucken.

Ein junger Mann, der sonst Videospiele für eine Softwarefirma programmierte, kam jetzt jeden Morgen in Eschburgs Atelier. Er stellte seinen Computer auf, saß vor einem hochauflösenden Bildschirm und programmierte nach Eschburgs Anweisungen die Installation. Eschburg ließ sich die Programme erklären. Nach zwei Monaten kaufte er die Computer des jungen Mannes und arbeitete alleine noch acht Monate weiter. Es dauerte ein Jahr, bis die Installation fertig war. Mit Sofia wurde es leichter in dieser Zeit, sie gewöhnten sich aneinander und Eschburg glaubte, er habe den richtigen Rhythmus für eine Beziehung gefunden.

Am Ende stellte er die Installation seinem Galeristen vor. Eschburg ließ ihn und Sofia alleine im Atelier und ging in den Innenhof. Er setzte sich auf die Stufen vor dem Eingang und schälte eine Orange, die Schalen legte er sorgfältig aufeinander. Er hielt die nackte Frucht gegen die Sonne, er drehte sie, er sah die einzelnen Kammern, die weiße Haut, die dünnen Adern, orange, gelb und rot. Er überlegte, wie weit sie zurückreichte, die unendliche Zahl der

Entscheidungen bis zu diesem Moment auf der Treppe. Eschburg schloss langsam seine Hand, das Fruchtfleisch quoll zwischen seinen Fingern hervor, der Saft spritzte auf sein Hemd, auf seine Haare und in sein Gesicht.

———

**23**

Die Tordurchfahrt vor Eschburgs Haus in der Linienstraße war fast dunkel, seit Wochen schon war eine
der beiden Lampen ausgefallen. Trotzdem konnte
Eschburg Senja Finks erkennen. Ein Fremder hielt
ihre Kehle umklammert und drückte sie gegen die
Hauswand. Der Mann war untersetzt, ausrasierter
Nacken, Schiebermütze, breite Schultern. Er stach
ein Messer in ihren Bauch, er war schnell. Eschburg
rannte los.

Der Fremde holte zum zweiten Mal aus. Eschburg
bekam den Kragen seiner Lederjacke zu fassen und
riss ihn zurück. Der Fremde strauchelte, er verlor das
Gleichgewicht. Noch während er fiel, drehte sich
Eschburg über ihn und schlug zu. Er legte sein ganzes Gewicht in den Schlag, er traf das Kinn des Fremden, der Kiefer splitterte.

Eschburg hörte das Surren hinter seinem linken Ohr zu spät, er konnte nicht mehr ausweichen. Die Stahlkugel des Totschlägers klatschte gegen seinen Kopf. Er hatte Glück, der Winkel war flach, die Kugel zertrümmerte nicht den Schädelknochen. Eschburg fiel auf die Knie. Er sah die Pflastersteine, blau-grau, dazwischen Sand und Moos. Das Muster irritierte ihn kurz, dann schlug er mit der Stirn auf den Boden.

Schon lange bevor er die Augen öffnete, wusste er, dass er in einem Krankenhaus lag. Es war der Geruch, die Mischung aus Desinfektionsmitteln, Krankheit und gekochter Bettwäsche.

Das Erste, was er sah, war Sofia. Sie saß mit einem Buch am Fenster. Sie hatte die Schuhe ausgezogen, ihre Füße lagen auf dem Fensterbrett. Ihr Hals war im Gegenlicht zu schmal.

Eschburg wollte noch nicht sprechen, er sah ihr nur zu. Schließlich legte Sofia das Buch auf ihren Schoß und atmete laut aus.

»Was ist passiert?«, fragte er. Sein Mund war trocken, die Lippen waren aufgerissen.

Sofia kam zu ihm und küsste ihn vorsichtig auf die Stirn. »Du bist hingefallen und warst bewusstlos. Du hast ein Loch im Kopf.«

Er versuchte sich zu bewegen, aber die Bettdecke war steif und schwer.

»Du musst schlafen«, sagte sie. »Du hast Medikamente bekommen.«

Eschburg spürte ihre Hand auf seiner Stirn, sie war kühl. Er schlief wieder ein.

Als er das nächste Mal aufwachte, war es dunkel im Zimmer. Er setzte sich im Bett auf und blieb so, bis er sicher war, dass ihm nicht schlecht wurde. Er trug noch den Krankenhauskittel, aber er war nicht mehr an den Tropf angeschlossen. Er stand auf und ging langsam ins Badezimmer. In seinem Urin war Blut. Er hatte einen Verband um den Kopf, die rechte Hälfte seines Gesichts war zerschrammt, über der rechten Augenbraue war ein Pflaster. Er setzte sich auf den Plastikhocker und putzte sich die Zähne. Es strengte ihn an.

Als er zurück ins Zimmer kam, saß eine Frau an dem Tisch vor dem Fenster. Eschburg brauchte einen Moment, bis er Senja Finks erkannte. Sie trug einen dunklen Hosenanzug, eine Perlenkette und eine Hornbrille, ihre Haare waren offen. Der Anzug wirkte teuer.

»Ich habe gewartet, bis Ihre Freundin gegangen ist«, sagte sie.

»Sie sehen ganz anders aus«, sagte Eschburg.

»Alle sehen nur das, was sie sehen wollen.«

Eschburg setzte sich vorsichtig auf die Bettkante. »Sind Sie nicht verletzt?«

»Es geht«, sagte sie.

»Wer waren die Männer?«

»Die Sache ist erledigt«, sagte Senja Finks.

»Was heißt das?«

Sie zuckte mit den Schultern und schwieg. Eschburg legte sich flach auf das Bett. »Können Sie das Licht ausmachen? Es blendet«, sagte er.

Senja Finks schaltete die Lampe aus. Sie fragte: »Haben Sie mit der Polizei gesprochen?«

»Nein«, sagte Eschburg.

»Tun Sie es bitte nicht.«

Sie öffnete das Fenster. Die Luft war frisch, sie roch nach Regen.

Er drehte seinen Kopf zu ihr: »Können Sie mir sagen, was passiert ist?«

Sie nahm Eschburgs Uhr vom Nachttisch. »Eine schöne Uhr. Sechzigerjahre?«, fragte sie.

»Sie gehörte meinem Vater«, sagte er.

Sie legte die Uhr wieder auf den Tisch.

»Erklären Sie mir bitte, was passiert ist«, sagte Eschburg.

»Es ist eine lange Geschichte. Sie wollen sie nicht wissen.«

»Doch, natürlich«, sagte er.

Sie sah ihn lange an. »Na gut«, sagte sie. »Das waren keine guten Männer, verstehen Sie? Diese Männer suchen sich Mädchen in den Dörfern in der Ukraine und versprechen ihnen ein schönes Leben.

Dann richten sie die Mädchen zu Prostituierten ab, ›einreiten‹ nennen sie das. Die Mädchen werden Freiern zur Verfügung gestellt, oft sind es zehn, zwanzig Männer gleichzeitig, Massenvergewaltigungen in leer stehenden Fabrikhallen. Die Polizei kommt immer zu spät, bis dahin sind sie schon in die nächste Stadt gezogen. Es gibt eine Szene dafür, die Freier bezahlen viel Geld, sie sind überall, in Frankreich, Italien, England, Deutschland. Sie sind schnell, diese Männer, es gibt für sie keine Grenzen.«

Senja Finks machte eine Pause und verzog das Gesicht. Ihr Hemd färbte sich über dem Bauch dunkel, die Wunde war aufgegangen. Sie atmete flach.

»Wenn ein Mädchen verbraucht ist«, sagte Senja Finks, »schneiden sie ihm die Hände und den Kopf ab und werfen es auf den Müll. Oder sie wird vorher einem Freier verkauft, der sie zu Tode peitscht. Die Männer nehmen auch das noch auf Video auf und verkaufen es später.«

»So etwas gibt es nur im Film«, sagte Eschburg.

»Nein«, sagte sie, »so etwas gibt es in keinem Film.«

Beide schwiegen. Eschburg schloss die Augen, sein Kopf schmerzte.

»Ich frage Sie jetzt«, sagte Senja Finks, »was darf so ein Mädchen tun, wenn sie davongekommen ist? Wenn sie den Männern viel Geld gestohlen hat, wenn sie gelernt hat, zu überleben und zu töten?«

Sie stand auf und ging die zwei Schritte bis zu

Eschburgs Bett. Sie roch nach Zigaretten und Blut. Sie beugte sich vor. Ihre Augen waren hellgrün, ihre Pupillen sahen durch die Brille aus wie senkrechte Schlitze.

»Was ist Schuld?«, fragte sie. Ihre Stimme klang fiebrig.

Aus der Nähe wirkt der Tod nicht mehr bedrohlich, dachte Eschburg.

»Ich weiß es nicht«, sagte er.

## 24

Weil Eschburgs Fotos in Italien das größte Presse-
echo hatten, wollte die Galerie seine neue Installation zuerst in Rom zeigen. Der Japaner, der »Majas
Männer« gekauft hatte, stellte die Bilder für die
Ausstellung zur Verfügung. In Eschburgs Atelier in
der Linienstraße wurden die Polaroidplatten, Bild-
schirme, Kabel und Computer in Holzkisten verpackt und von einer Spedition abgeholt.

Eine Woche später flog Eschburg nach Rom. Auf
dem Rollfeld stieg er in einen Bus. Er sah Hunderte
Stare um den Tower kreisen. Der Taxifahrer erklärte
später, Rom setze Falken ein, um die Vögel aus der
Stadt zu vertreiben, aber es nutze nichts.

Die Galerie hatte die Räume im ersten Stock eines
restaurierten Palastes aus dem 17. Jahrhundert ge-

mietet. In den nächsten Tagen bereitete Eschburg dort die Ausstellung vor. An die langen Wände des großen Saales hängte er auf jede Seite 18 Fotos. Die Plexiglasplatten waren von hinten beleuchtet, die Körper der Frauen hatten einen weichen Sepiaton. An der Stirnwand stand eine Videoleinwand. Die Installation war so programmiert, dass ein Beamer zunächst eines der Polaroids auf die Leinwand projizierte. Nach einer Viertelsekunde legte der Computer ein zweites Polaroid auf das erste und berechnete aus beiden ein neues Bild. Auf dieses Bild wurde dann das nächste Foto und im Viertelsekundentakt die weiteren Fotos gelegt, bis aus allen ein neues Bild entstand. Die von Eschburg fotografierten Frauen verschmolzen so zu einer neuen Frau. Ihr Gesicht und ihr Körper waren der Durchschnitt aller Modelle, ihre Mitte. Unregelmäßigkeiten, Falten und Hautunreinheiten verschwanden. Die künstliche Frau wirkte jünger als die Fotomodelle, ihr Gesicht und ihr Körper waren völlig symmetrisch. Und tatsächlich war sie schön.

Dann schalteten sich die Hintergrundbeleuchtungen der Plexiglasplatten an den Wänden nacheinander ab, während die Haut der künstlichen Frau auf dem Bildschirm im gleichen Verhältnis heller wurde. Am Ende war die einzige Lichtquelle der Plasmabildschirm. Die künstliche Frau war nun fast weiß. In schneller Abfolge verwandelte sie sich in die Schön-

heiten der Kunstgeschichte: Tizians »Venus von Ur-
bino«, Velázquez »Venus vor dem Spiegel«, Cano-
vas »Paolina Borghese«, Manets »Olympia«, Picassos
»Grande Dryade« und Stucks »Sünde«. Danach nahm
sie wieder ihre ursprüngliche Gestalt an, legte ihre
Hände auf den Rücken, kniete sich auf den Boden,
öffnete ihren Mund und schrie. Sie wurde unscharf,
löste sich auf, es blieb nur ein weißer Strich in der
Mitte des sonst schwarzen Bildschirms. Nacheinander erschien über dem Strich in allen Weltsprachen
der Satz:

>>*Glatt liegt Seele und Meer*«

Der Strich zog sich zu einem Punkt zusammen, ver-
blasste, der Bildschirm schaltete sich ab. Die Galerie
blieb zehn Sekunden völlig dunkel. Danach begannen die großen Polaroids an den Wänden wieder
sanft zu leuchten und das Programm startete erneut.

Am Nachmittag vor der Eröffnung war Eschburg
zu einer Talkshow eingeladen, der Galerist in Rom
sagte, sie bräuchten die Werbung. Vor dem Auftritt
rauchte Eschburg auf einem Balkon eine Zigarette.
Im Hinterhof standen aufgerissene Pappkisten, leere
Blumenkübel und ein Stuhl mit gebrochener Lehne.
    Im Fernsehstudio war es heiß. Der Moderator re-
dete schnell. Ein Animateur gab Zeichen, wenn die

Zuschauer klatschen sollten. Plötzlich sprang der Moderator auf, er riss die Arme hoch und schrie etwas ins Publikum. Die Zuschauer lachten. Eschburgs Galerist hatte gesagt, der Moderator habe einen Fernsehpreis für seine »menschliche und mitreißende« Talkshow bekommen.

Eschburg sah zu Sofia. Sie saß in der ersten Reihe der Zuschauer. Er konnte ihr Gesicht kaum erkennen.

Dann wurde es still im Studio, die Zuschauer starrten Eschburg an, er schien etwas verpasst zu haben. Der Moderator saß jetzt wieder neben ihm, er trug ein gelb-weißes Hemd, an der Brusttasche waren die Streifen um einen halben Zentimeter versetzt. Eschburg zwang sich, nicht hinzusehen. Auf der randlosen Brille des Moderators lag ein Staubkorn, es brach das Licht der Scheinwerfer.

Eschburg dachte an den Zettel, den er gestern Nacht im Dunkeln geschrieben hatte. Er wusste nicht mehr, was er geschrieben hatte, aber er glaubte jetzt, es sei wichtig gewesen.

Immer noch warteten alle. Eschburg lächelte, weil er nicht wusste, was er sonst tun sollte. Er wollte, dass es aufhörte.

Der Moderator sprach endlich weiter, klatschte wieder in die Hände und wandte sich wieder den Kameras zu. Auf einem Bildschirm sah Eschburg jetzt ein Gemälde. Er verstand nicht, was das Bild mit sei-

ner Installation zu tun hatte. Er hörte die Dolmetscherin, sie klang metallisch in dem winzigen Hörer
in seinem Ohr: »Wann ist eine Installation fertig?
Wann ist sie fertig?« Die Dolmetscherin wiederholte
die Frage immer wieder.

»Wenn sie stimmt«, sagte Eschburg endlich.

Der Moderator schrie wieder etwas in die Kameras, die Dolmetscherin übersetzte es nicht. Das Publikum applaudierte.

Irgendwann war es zu Ende, die großen Scheinwerfer wurden abgeschaltet. Ein Tontechniker zog
das Mikrofon von Eschburgs Jackett, die Haare auf
seinem Handrücken streiften Eschburgs Kinn. Der
Moderator schrieb Autogramme für die Zuschauer,
er drehte sich um, schüttelte Eschburg die Hand und
klopfte ihm auf die Schulter. Sofia kam auf die
Bühne.

Im Hotel ging Eschburg sofort unter die Dusche.
Das Wasser schmeckte nach Chlor. Nur mit einem
Handtuch um die Hüften trat er auf den schmalen
Balkon. Unten auf dem Platz lachte ein dicker Mann,
er trug ein buntes Sweatshirt mit einer Stickerei über
den ganzen Rücken: »International Golf Team«. Er
aß etwas aus einer Tüte. Seine Frau hatte keinen
Hals.

Eschburg ging zurück ins Zimmer und zog sich
an. In einer Tasche seines Jacketts fand er den Zettel

wieder, den er letzte Nacht geschrieben hatte. Er faltete ihn auseinander. Der Zettel war leer.

Am nächsten Abend wurde die Ausstellung eröffnet. Die Modelle standen unter ihren Fotos. Eschburg beantwortete Fragen der Journalisten, er sprach mit Gästen, Sammlern, dem Botschafter und einem Staatssekretär für Kultur.

Als er wieder alleine war, ging er auf die Terrasse, um zu rauchen. Jemand gab ihm von der Seite Feuer, er sah nur die Hand. Eschburg drehte sich um.

Die Oberlippe der jungen Frau war wie ein vollkommenes »M« geformt. Sie trug ein Kleid aus Leinen. Sie sagte, sie sei nur nach Rom gekommen, um seine Installation zu sehen. Ihre Stimme klang freundlich. Ihre Augen schienen aus verschiedenen Schichten zu bestehen, Grün-, Grau- und Blautöne überlagerten sich. Eschburg war es später unmöglich, sich an ihre wirkliche Farbe zu erinnern. Sie lächelte ihn an.

Sie hielt ihm die Hand hin, ohne ihren Namen zu nennen. Für einen Moment erweiterten sich ihre Pupillen, sie reflektierten das Licht aus dem Saal und Eschburg sah sich selbst in ihnen. Er riss sich zusammen.

»Sebastian Eschburg«, sagte er. Sein Gesicht war weiß.

Sie lächelte weiter, aber sie ließ seine Hand nicht

los. »Ich bewundere Ihre Arbeit«, sagte sie, ihr Gesicht kam näher, sie sprach leiser. »Ich möchte unbedingt für Sie arbeiten.«

»Ich habe nie Assistenten«, sagte er. Das Sprechen strengte ihn an. »Aber gut, rufen Sie mich in Berlin an.«

Die junge Frau nickte. Endlich gab sie seine Hand frei. »Vielen Dank«, sagte sie, »ich will Sie nicht weiter stören.«

Er wartete, bis er wieder ruhig atmen konnte. Er ging durch die Ausstellung, er sah Sofia in der Mitte einer Gruppe von Journalisten stehen und nickte ihr zu.

Draußen war die Luft besser. Er ging langsam durch die Gassen. An einem Renaissancepalast blieb er stehen und lehnte sich gegen die Steinmauern. Dann ging er weiter, hinunter zum Tiber und wieder hinauf in das Viertel Trastevere. Auf der Piazza Santa Maria setzte er sich in ein Straßencafé, er bestellte eine Flasche Wasser und einen Espresso. Plötzlich hörte er alle Stimmen aus dem Café gleichzeitig und gleich laut. Es kam ihm vor, als würde ein Filter in seinem Kopf nicht mehr funktionieren. Es dauerte fast fünf Minuten. Um 23 Uhr schlug die Glocke der Marienkirche. Klar und hell schwebte der Ton über dem Platz.

Eschburg legte Geld auf den Tisch und stand auf.

Er ging zurück und wollte den Fluss auf dem Ponte Sisto überqueren, die gelben Lampen in der Kaimauer spiegelten sich im Wasser. Er blieb in der Mitte der Brücke stehen. Er sah nichts und hörte nichts, er dachte nur an die Frau auf der Terrasse. Seine Beine gaben nach, er hielt sich an der Balustrade der Brücke fest. Ein junges Paar machte sich über ihn lustig, sie glaubten, er sei betrunken. Dann sah er Sofia, sie rannte zu ihm, ihr Gesicht schien ihm verschwommen.

»Was ist mit dir?«, fragte sie. Sie war außer Atem. »Ich habe dich überall gesucht. Du bist ganz bleich.«

»Ich ... ich habe mich die ganze Zeit geirrt«, sagte er leise.

»Ich verstehe kein Wort«, sagte Sofia. »Ist es wegen der jungen Frau, mit der du auf dem Balkon warst?«

»Ihre Haut, ich habe ihre Haut berührt. Ich dachte, mein Kopf ist offen, mein Gehirn wurde orangerot und salzig.« Er zitterte.

»Sebastian«, sagte sie, »bitte beruhige dich. Komm, wir gehen.«

Er blieb weiter stehen. »Diese Gesichter und Körper ... es ist nur die Mitte ...«, sagte er.

»Wie bitte?«

»Das schönste Gesicht ist das durchschnittlichste Gesicht. Nichts weiter. Schönheit ist nur Symmetrie. Es ist so lächerlich. Ich bin lächerlich.«

»Aber du bist nicht lächerlich, du ...«, sagte sie.

Eschburg unterbrach sie: »… als ich sehr jung war, war ich mit meinem Vater auf der Jagd. Er schoss ein Reh. Es hatte auf der Lichtung gestanden, ruhig und schön und ganz für sich. Er schnitt durch den Bauch des toten Tiers, durch die Haare, die Haut und die dünne Fettschicht. Ich hörte das Geräusch. Das Geräusch, mit dem sich der Körper öffnet. Und ich sah das Blut, Sofia, das ganze Blut.«

Sie wollte ihm die Haare aus dem Gesicht streichen, er schlug ihre Hand weg.

»An diesem Abend hat sich mein Vater in seinem Zimmer getötet«, sagte er.

Sein Gesicht war verzerrt. Er packte sie an ihren Schultern und schüttelte sie. »Verstehst du nicht? Ich habe mich geirrt. Alles war falsch. Schönheit ist keine Wahrheit.«

»Du tust mir weh, hör auf«, sagte Sofia. Sie machte sich los.

»Die Wahrheit ist hässlich, sie riecht nach Blut und nach Kot. Sie ist der aufgeschnittene Körper, der weggeschossene Kopf meines Vaters«, sagte Eschburg.

»Du machst mir Angst, Sebastian«, sagte Sofia.

Das Taschenmesser hatte er vor Jahren in Frankreich gekauft, seitdem trug er es immer bei sich. Der Lack auf dem Holzgriff war längst stumpf, der Schriftzug des Herstellers war kaum noch zu lesen. Er klappte es auf.

»Was machst du da?«, schrie sie und trat einen Schritt zurück.

»Geh«, sagte er leise, »bitte, du musst sofort gehen.«

Er rutschte mit dem Rücken an der Balustrade der Brücke zu Boden. Das Messer schnitt tief in seinen Handrücken.

»Ich habe selbst Angst«, sagte er.

**Rot**

Um ein Uhr nachts saß Monika Landau noch immer am Schreibtisch in ihrem Dienstzimmer. Sie war 41 Jahre alt, seit sechs Jahren arbeitete sie als Staatsanwältin in der Abteilung für Kapitalverbrechen. Vor ihr lag das Foto der entführten jungen Frau. Seit Stunden wurde es im Fernsehen gezeigt und im Internet verbreitet. Die Polizei hatte das Foto in der Wohnung des Verdächtigen gefunden, er hatte seine Wände mit riesigen Abzügen davon tapeziert. Auf das Bild über seinem Bett hatte er mit seinen Fingern ein rotes Kreuz gemalt. Im Bericht des Gerichtsmediziners stand, es sei *nur* Tierblut – beruhigt hatte das niemanden.

Vor 64 Stunden hatte alles mit dem Anruf bei der Polizei begonnen. Wie jeder Notruf war er aufgezeichnet worden. Eine Frau hatte angerufen, ihre

Stimme klang jung, vielleicht war sie 16 oder 17 Jahre alt. Sie habe Angst, sagte sie, sie liege in dem Kofferraum eines Autos. Der Mann habe ihr in den Kopf gebissen. Sie nannte den Namen des Verdächtigen und die Straße, in der er wohnte. Und dann sagte sie noch etwas, sehr leise, undeutlich. Die Polizisten glaubten, sie habe flüstern müssen, damit der Entführer sie nicht hören konnte. »Er ist böse« oder »er ist das Böse«, sagte die junge Frau, genau konnte Landau das nicht verstehen. Danach riss die Verbindung ab.

Nach dem Anruf fuhr eine Streife zu der Adresse, Routineablauf. Die Beamten fanden dort im Hof ein Kleid in der Abfalltonne, es war zerrissen und blutig. Dem Ermittlungsrichter reichte es für einen Durchsuchungsbeschluss. Eine knappe Stunde später klingelten die Kriminalpolizisten an der Tür des Verdächtigen. Der Mann öffnete. Er verhielt sich ruhig.

Auf dem Boden vor seinem Bett fanden sie Blutspuren. Der Gerichtsmediziner sagte, es sei das Blut derselben Frau, das auch auf dem Kleid aus der Mülltonne war. In einer Kiste unter dem Bett lagen sadistische Pornos, Handschellen, Peitschen, Augenbinden, Mundknebel, Vibratoren und Analketten. Auf den Handschellen und den Peitschen waren Hautschuppen. Auch sie stammten von der unbekannten Frau.

Im Schrank zwischen den Hemden lag in einer

Blechkiste eine vollständige Ausrüstung für eine Obduktion: Skalpelle, Klammern, Schädelspalter, eine elektrische Knochensäge.

Ein paar Stunden später wussten die Beamten, dass der Verdächtige an dem Tag, an dem die Frau bei der Polizei angerufen hatte, einen Wagen gemietet hatte. Er wurde bei der Autovermietung sichergestellt. Die Polizisten fanden winzige Blutspuren im Kofferraum, es war wieder dieselbe DNA. Der Verdächtige war mit dem Wagen 194 Kilometer gefahren. Die Hubschrauber suchten deshalb in einem Radius von hundert Kilometern um Berlin. Mit Wärmebildkameras flogen sie seit Stunden über die Waldgebiete und Felder rund um Berlin, aber sie alle wussten, wie hilflos sie waren – das Gebiet war einfach zu groß. Acht Hundertschaften waren im Einsatz, die gesamte Berliner Polizei hatte Urlaubssperre.

Alles an diesem Verfahren ist merkwürdig, dachte Landau. Die Ermittler wussten nicht, wie die junge Frau hieß, sie wussten nicht, wie alt sie war, woher sie kam, wer sie war. Noch gab es keinen Erpresserbrief, keine Forderungen, keine Leiche. Auch der Verdächtige passte nicht in das übliche Raster: Er war wohlhabend und nicht vorbestraft. Geld schied offenbar als Motiv aus. »Leider«, dachte Landau, es hätte die Sache berechenbarer gemacht. Nur die Indizien waren eindeutig. Landau zog ihren Mantel an und fuhr zum Polizeirevier. Sie würden den Verdächtigen noch einmal vernehmen müssen.

Das Zimmer lag im dritten Stock, ein karger Raum, vier Stühle, ein Schreibtisch, keine Bilder, Neonlicht. Der Verdächtige saß am Fenster, seine rechte Hand war mit einer Handschelle an ein Heizungsrohr gefesselt. Es war seine dritte Vernehmung, bisher hatte er alles abgestritten, aber er hatte noch keinen Anwalt verlangt. Die Schreibkräfte waren nach Hause gegangen, der Polizist würde selbst tippen müssen. Er setzte sich und schaltete den Computer ein.

»Bisher sind Sie nur vorläufig festgenommen«, sagte der Polizist zu dem Mann. »In ein paar Stunden werden Sie dem Richter vorgeführt, er wird Haftbefehl gegen Sie erlassen. Das hier ist Ihre letzte Chance, sich zu retten. Die Belehrung ist Ihnen noch in Erinnerung? Sie müssen hier auf keine Frage antworten.«

Die Staatsanwältin sah den Verdächtigen zum ersten Mal. Sie nickte ihm zu. Er reagierte nicht.

»Wo ist das Mädchen?«, fragte der Polizist.

»Ich weiß nicht«, antwortete der Mann.

»Wir müssen doch nicht von vorne anfangen. Wir wissen, dass Sie die Frau entführt haben. Also, hören Sie auf, drumherum zu reden. Was haben Sie mit ihr gemacht? Wo ist sie? Wie heißt sie?«

»Ich weiß nicht«, wiederholte der Mann.

»Lebt sie noch? Haben Sie sie irgendwo einge-sperrt? Hat sie genug Kleidung? Wasser? Essen? Wissen Sie eigentlich, wie kalt es heute Nacht ist? Minus neun Grad. Sie wird erfrieren, wenn sie irgendwo da draußen ist.«

Der Polizist hatte noch nichts auf dem Computer geschrieben. Es gab in dem Raum kein Tonband und keine Videokamera.

Eine Vernehmung, dachte Landau, ist kompliziert. Weshalb soll jemand überhaupt gestehen? Wenn der Täter nur einen Moment nachdenkt, weiß er, dass er damit verlieren wird. Ein Mensch gesteht nur dann ein Verbrechen, wenn er dafür etwas bekommt – vielleicht hofft er auf eine Strafe, die weniger hart ist, oder er glaubt an eine Gewissenserleichterung, an einen ruhigen Schlaf ohne Dämonen. Manchmal will er auch nur die Anerkennung des Beamten, der ihn vernimmt. Landau glaubte, allein die Kindheit, das Gute, das jemand erfahren hat, kann am Ende zu einem Geständnis führen. Sie hatte viele Vernehmungen geführt, sie wusste, wie schwer es ist, die Wahrheit zu sagen.

Der Polizist sagte zu dem Mann, dass er sich nie wieder im Spiegel ansehen könne, Nacht für Nacht würde ihm die junge Frau erscheinen, sie würde ihn sein ganzes Leben lang verfolgen. Es sei schlimm, was er getan habe, aber er könne noch umkehren. Jeder Richter werde milder mit ihm sein, wenn er jetzt spreche, wenn er alles erzähle und das Mädchen noch rette. Der Polizist redete leise auf ihn ein, monoton, er wiederholte seine Sätze immer wieder.

Landau wusste, dass der Polizist Bilder erzeugen musste, Bilder, die den Verdächtigen erschrecken sollten. Aber es schien nicht zu funktionieren. Der Mann sah nur zu Boden oder aus dem Fenster, aber er reagierte nicht.

Die Vernehmung hatte über drei Stunden gedauert, als es passierte. »Ich habe selbst zwei Töchter«, sagte der Polizist, »sie sind zwölf und vierzehn Jahre alt.« Die Stimme des Polizisten hatte sich verändert, er sprach sehr leise.

Landau fuhr zusammen. Sie verstand nicht, was der Polizist tat. Natürlich, ein kluger Beamter gibt in der Vernehmung die Macht ab, er muss erreichen, dass der Verbrecher ihm vertraut. Wenn der Vernehmende wütend wird oder entsetzt ist oder wenn er nur einen Moment vergisst, dass der andere ein Mensch ist, ist die Vernehmung verdorben. Ein Polizist kann dabei sehr weit gehen, er kann vieles riskieren. Landau hatte Vernehmungen erlebt, in denen sie fast glaubte, es würde so etwas wie Freundschaft zwischen dem Polizisten und dem Täter entstehen.

Aber, dachte sie jetzt, kein Ermittlungsbeamter spricht über sein Privatleben, es ist zu gefährlich.

Der Polizist stand auf, nahm seinen Stuhl an der Rückenlehne und trug ihn um den Tisch. Es war ein Metallstuhl, er knallte ihn direkt vor den Verdächtigen auf den Boden. Dann drehte er sich kurz zu Landau und hob die Schultern. Es sah aus wie eine Entschuldigung, aber Landau wusste nicht, was das heißen sollte.

Der Polizist setzte sich. Der Verdächtige hob den Kopf, er sah den Polizisten an. Der Polizist beugte sich vor. Sein Gesicht war vom Gesicht des Mannes keine dreißig Zentimeter entfernt.

»Du hast es so gewollt«, sagte der Polizist. »Ich werde es dir zuerst erklären. Du sollst genau verstehen, was ich mit dir machen werde.«

Landau wurde klar, dass die Situation entgleiste. Später dachte sie oft an diesen Moment. Sie fragte sich dann, ob sie es hätte verhindern können. Aber sie kam immer wieder zu dem gleichen Schluss: Sie hatte es nicht verhindern wollen.

»Heute«, sagte der Polizist, »macht man es nicht mehr mit Elektroschocks an den Hoden oder mit Messern oder mit Schlägen. Das gibt es nur noch in Hollywood. Alles, was ich brauche, ist ein Küchenhandtuch und ein Eimer Wasser. Es geht schnell. Wir sind hier alleine, du Schwein, die anderen sind draußen und suchen das Mädchen. Später wird dir niemand glauben, was passiert ist. Du wirst keine Verletzungen haben, keine Narben, du wirst nicht bluten, alles passiert in deinem Gehirn. Natürlich wirst du später einen Arzt rufen, aber der wird nichts feststellen. Mein Wort wird gegen deines stehen. Du brauchst gar nicht darüber nachzudenken, wem der Richter glaubt. Du bist ein Vergewaltiger und jetzt wirst du dafür bezahlen. Was ich mit dir mache, hält niemand länger als dreißig Sekunden aus, die meisten geben schon nach drei oder vier Sekunden auf. Du wirst ...«

In diesem Moment schaffte es Landau. Sie stand auf. Ohne ein Wort zu sagen, verließ sie das Zimmer. Sie ging den hell erleuchteten Flur hinunter bis zu den Toilettenräumen. Sie schloss die Tür hinter sich und lehnte sich dagegen. Es roch nach Chlor und Flüssigseife. Als sie sich beruhigt hatte, stellte sie ihre Handtasche auf die Ablage und wusch sich das Gesicht, sie beugte sich über das Waschbecken und ließ das kalte Wasser über ihren Nacken laufen. Sie faltete ein Papierhandtuch, machte es nass und presste es auf ihre Augen. Dann ging sie zum Fenster und öffnete es.

»Ich schwöre, dass ich mein Amt getreu dem Grundgesetz für die Bundesrepublik Deutschland und der Verfassung von Berlin in Übereinstimmung mit den Gesetzen zum Wohle der Allgemeinheit ausüben und meine Amtspflichten gewissenhaft erfüllen werde; so wahr mir Gott helfe.« Vor zwölf Jahren hatte sie diesen Eid abgelegt. Sie konnte ihn immer noch auswendig. »So wahr mir Gott helfe« – die meisten jüngeren Staatsanwälte ließen diesen Satz weg, das Gesetz stellt es jedem frei. Aber sie hatte ihn gesagt, sie hatte ihn noch: ihren kindlichen Glauben an einen gütigen, ordnenden Gott.

Sie sah in den Innenhof des alten Gebäudes. Es war dunkel, nur in wenigen Zimmern brannte Licht. Sie atmete tief ein, die Luft war so kalt, dass sie in den Lungen schmerzte. Sie schloss das Fenster wieder, setzte sich auf die Heizung, zog einen Schuh aus und massierte ihren Fuß. Seit 26 Stunden hatte sie nicht geschlafen.

Sie dachte an das Verfahren, das sie vor vier Jahren geführt hatte. Ein eifersüchtiger Ehemann hatte seiner Frau kochende Milch über die Brust gekippt, er wollte sie bestrafen. Landau hatte den Mann angeklagt, aber die Frau hatte sich während des Prozesses umgebracht. Nach diesem Fall hatte Landau aufgeben wollen. Aber der Abteilungsleiter hatte ihr diesen Satz gesagt, der furchtbar war und tröstlich und der sie seitdem Tag für Tag begleitete: »Wir gewinnen nicht, wir verlieren nicht, wir tun unsere Arbeit.«

Landau setzte sich mit einem Ruck auf, plötzlich war sie überwach und klar. Sie rannte aus dem Waschraum, den Flur hinunter und stieß die Tür des

Vernehmungszimmers auf. Sie hatte den Polizisten und den Verdächtigen 24 Minuten alleine gelassen.

Später saß Landau mit dem Polizisten alleine in der hellen Kantine. Er war einer der erfahrensten Beamten der Berliner Polizei, 15 Jahre älter als Landau. Sie kannte ihn, seit sie in der Abteilung für Kapitalverbrechen arbeitete. Sie wusste, dass er besonnen und zurückhaltend war, er hatte noch nie seine Waffe gezogen, seine Beurteilungen waren tadellos. Warum er es getan habe, hatte sie ihn gefragt. Seitdem schwieg der Polizist. Er zog das Papieretikett von einer Wasserflasche ab, klebte es auf den Tisch und strich es glatt. Er starrte auf das Etikett, aber er sagte nichts.

Endlich begann er zu sprechen. Er erzählte von einem anderen Entführungsfall, 18 Jahre sei das jetzt her.

»Ich erinnere mich noch immer an jede Einzelheit«, sagte der Polizist, ohne Landau anzusehen. »Ich erinnere mich an das Goldkettchen am Handgelenk des Mannes, an den losen Knopf an seinem Hemd, an seine dünnen Lippen und die Art, wie er auf dem Tisch mit den Fingern trommelte. Nach zwei Tagen war er so weit, er zeigte uns die Stelle im Wald. Ich saß neben ihm, als wir in den Wald fuhren. Er roch ungewaschen, hatte Speichel in den Mundwinkeln und hustete. Er grinste, aber ich musste trotzdem freundlich zu ihm sein. ›Zwölf Tage vor Weihnachten‹, an diesen Satz dachte ich auf der Fahrt immer wieder. Es war ungefähr so kalt wie heute. Als wir ankamen, sah ein Kollege das Belüftungsrohr und rannte los. Er zog sich noch im Laufen seine Jacke aus. Er riss die Blätter von dem Rohr, er schrie, dass jetzt alles gut werde. Wir alle fielen vor dem Rohr auf die Knie und gruben wie verrückt in dem Schnee und dem gefrorenen Boden. Ein Kollege brach die Kiste auf. Im Holz des Deckels sah ich die Kratzspuren des kleinen Jungen. Auf seinem Unterarm klebte ein rotes Abziehbild, irgendein Tier, ein Elefant oder ein Nashorn oder etwas anderes. Das Bild war ausgefranst und verwaschen, es sah ganz unwirklich aus auf der blauweißen Haut.«

Der Polizist hob den Kopf und sah Landau direkt an. »Wissen Sie, es ist dieses verfluchte Abziehbild. Ich werde es nicht mehr los. Verstehen Sie das? Ich werde es einfach nicht mehr los.«

Am Nachmittag dieses Tages schrieb Staatsanwältin Landau in ihrem Dienstzimmer einen Vermerk. Es war kein langer Text, zwölf Zeilen. Sie las ihn noch zweimal, unterschrieb und heftete das Blatt zu den Akten. Dann ging sie zu ihrer Geschäftsstelle und bat darum, den Vermerk dem Vernehmungsbeamten zu faxen.

»In welcher Sache?«, fragte die Sekretärin.

»Das neue Verfahren, die Akte liegt in meinem Zimmer«, sagte Landau. »Der Beschuldigte heißt Sebastian von Eschburg.«

**Blau**

**1**

Konrad Biegler stand auf der Terrasse des Zirmerhofs und war schlecht gelaunt. Er hörte dem Bergführer zu. Der Bergführer sah so aus, wie Biegler
sich einen Bergführer vorstellte: braun gebrannt,
groß, gesund. Er riecht bestimmt nach Seife, dachte
Biegler. Der Bergführer hatte eine feste Stimme mit
einem leichten italienischen Akzent, es klang angenehm. »Fast 1600 Meter hoch« liege die Terrasse des
Hotels, »der Panoramablick« sei »einmalig«, »rund
einhundert Gipfel«, die »das Herz höherschlagen«
ließen. Hier oben gebe es »herrliche Wiesen« und
»idyllische Bergseen«.

Der Bergführer sagte noch viele solche Sachen. Er
trug eine rote Jacke aus Polyester mit Kapuze und
einem Fuchs auf der Brust. »Funktionskleidung«,
dachte Biegler. Der Bergführer nannte die Gebirgs-

züge: »Brenta, Ortler, Ötztaler, Stubaier«. Biegler war sich sicher, dass der Bergführer alle bestiegen hatte.

Eine Frau mit sehr kleinem Rucksack sagte leise, der Zirmerhof liege so hoch wie die Schneekoppe. Ihre Augen glänzten, während sie den Bergführer ansah. »Nur ohne Schnee«, sagte Biegler und knöpfte seinen Mantel zu.

Biegler war seit 31 Jahren Strafverteidiger in Berlin. Er hatte eine Gras-, Heu-, Hunde-, Katzen- und Pferdeallergie. Er dachte darüber nach, ob er etwas sagen sollte. *Die Deutschen stellen die Natur über den Menschen*, wäre so ein Satz gewesen. Aber er sagte nichts. Es ging ihn nichts an. Er würde ja nicht auf dem Berg leben müssen, irgendwann könnte er hier weg und zurück nach Berlin fahren. Die Stadt ist die richtige Umgebung für einen Menschen, dachte er. Biegler riss sich zusammen. »Entspannen Sie sich«, hatte der Arzt gesagt.

Vor vier Wochen nach einem Prozesstag war Biegler auf dem Gerichtsflur in Moabit umgefallen, einfach so. Er war mit der Stirn auf eine Steinbrüstung geschlagen und zu Boden gerutscht. Der Arzt hatte ihn in eine Klinik geschickt. Mit anderen »Burn-out«-Patienten hatte er dort im Kreis gesessen, sie hatten sich bunte Wollkugeln zugeworfen, nachmittags hatte er Figuren aus Papier ausschneiden sollen. Biegler hatte sich nach zwei Tagen selbst entlassen.

Dann »wenigstens in die Berge«, darauf hatte der Arzt bestanden, am besten nach Südtirol. Der Arzt hatte ihm aus einem Prospekt vorgelesen: Auf dem Zirmerhof werde Ruhe nicht nur als »Nicht-Lärm« verstanden, sondern als »innere Qualität«, als »Lebenshaltung«. In diesem Berghotel, so der Arzt, hätten sich schon viele erholt: Heisenberg, Planck, Feltrinelli, Trott zu Solz, Siemens und eine ganze Reihe von Schriftstellern und Künstlern. Eugen Roth habe sogar ein Gedicht über das Hotel geschrieben. Biegler hatte ein Zimmer buchen lassen.

Die Hotelgäste verließen jetzt mit dem Bergführer die Terrasse. Biegler stand auf und bog seinen Rücken durch. Alle Stühle auf dem Zirmerhof waren unbequem, und er überlegte, ob dahinter ein Plan stand. Die anderen Gäste – die meisten waren Wanderer – hielten es für weichlich, sich auf die Filzunterlagen zu setzen. Biegler nahm immer zwei davon.

Er zog aus der Tasche seines Mantels ein Buch. Lesen hatte der Arzt nicht verboten. Biegler schlug es auf. Er war schon seit vier Tagen hier, aber er konnte sich immer noch nicht konzentrieren. Das Buch hieß »Positives Denken für Manager«. Seine Sekretärin hatte es ihm zum Abschied geschenkt, es würde ihm guttun, hatte sie gesagt. Biegler besaß inzwischen eine Fülle solcher Bücher: »Im Einklang mit dem Universum fühlen, denken und handeln«, »Die Macht der guten Gefühle«, »Bewusster leben mit 30 Motivationskarten und Onlinematerialien«, »Sympathisch in sieben Schritten« und schließlich Bieglers Lieblingsbuch: »Positiv denken – erfolgreich spazieren gehen: Mit Mentaltraining zum persönlichen Sieg«. Die Sekretärin war jetzt in Rente gegangen und die Neue hatte er bisher nur einmal gesehen.

Auch Bieglers Frau Elly verzweifelte an seiner schlechten Laune. Sie waren seit 28 Jahren verheiratet. Elly glaubte, Bieglers Grantigkeit komme von seinem Beruf, von den Mordverfahren, in denen er verteidigte. Aber das stimmte nicht. Biegler fand *positives Denken* schlicht dumm. In seiner Kanzlei hatte er versucht, es den jungen Anwälten zu verbieten. Gut gelaunte Menschen hielt er für kindisch oder bösartig.

Vor der Terrasse mähte ein Bauer die Wiese. Der Traktor war schön, aber sein Auspuff war defekt. Biegler glaubte, dass auch der Bauer defekt war – er mähte jeden Tag dasselbe Stück Wiese. Er probierte die Sache mit dem positiven Denken und grüßte den Bauern höflich. Der Bauer starrte ihn an. Biegler nickte zufrieden.

Er ging ein paar Schritte. Um das Hotel herum standen über fünfzig Bänke aus Lärchenbrettern. Als

Gast des Zirmerhofs konnte man diese Bänke kaufen und vom Dorfschreiner seinen Namen einbrennen lassen. Nacheinander probierte Biegler sie aus. Sie standen immer so, dass er gezwungen war, die »idyllischen Motive« anzusehen: Berge, Wiesen, Bäume, Feldwege, Felsbrocken. Bieglers Laune wurde mit jeder Bank schlechter.

Er wollte Elly nicht enttäuschen. Er ging auf sein Zimmer, das nicht größer war als der Besprechungstisch in seiner Kanzlei. Er dachte kurz daran, den Wirt doch noch zu rufen. Er könnte ihm sagen, dass die Rechtsprechung von Missachtung der Menschenwürde spreche, wenn eine Gefängniszelle kleiner als zwölf Quadratmeter ist. Er tat es nicht, weil er sich ja erholen sollte. Elly hatte ihm Wanderschuhe gekauft, sie hatten eine rote Sohle. Biegler schüttelte den Kopf und zog sie an.

Hinter dem Hotel führte ein schmaler Weg in den Wald. Das Unterholz roch modrig, Kleinstlebewesen saßen auf den Baumstämmen, immer bereit, ihn anzuspringen. Er schwitzte. Kühe standen auf einer großen Lichtung, sie gehörten zum Hotel. Der Wirt hatte gesagt, sie seien gutmütig. Biegler traute dem Wirt nicht und hielt Abstand. Die Kühe hatten riesige Glocken um den Hals, von denen sie taub werden mussten. Er beobachtete sie so lange, bis er sich ganz sicher war, dass Kühe keinerlei Bewusstsein besitzen.

Biegler drehte um und ging zurück ins Hotel. Er duschte und legte sich auf das Bett. Zwanzig Minuten später begannen unter seinem Fenster Bauarbeiten für eine neue Außentreppe. Die Bauarbeiter hörten Radio. Er öffnete das Fenster und steckte sich einen Zigarillo an. Ein Zimmermädchen klopfte und verwarnte ihn: Rauchen sei in den Zimmern verboten, sagte sie, man könne es bis auf den Flur riechen.

Zwei Stunden später wurde mit einer Kuhglocke zum Abendessen geläutet.

Im Speisesaal saß am Nebentisch ein Mann mit kurzen Lederhosen. Der Mann bewegte sich ruckartig. Er hatte einen vergilbten Hund, den er »Wolf« nannte. Die Frau des Mannes hatte kurze Haare und ein massives Gesicht mit Hängebacken. Als Biegler sah, dass der Mann ein riesiges Messer mit Hirschhorngriff in seiner Hose trug, bat er um einen anderen Platz.

Er wurde an den Tisch eines Lehrerehepaars aus Stuttgart gesetzt. Das Paar sprach über die heutige Wanderung, sie redeten sich mit Kosenamen an. Biegler schwieg. Es gab »gebackene Käsenockerln in Tomatenbutter«. Die Kellnerin streute Parmesan darauf. Biegler war sich nicht sicher, ob er das essen konnte.

Der Lehrer fragte Biegler, ob er heute auch gewandert sei.

»Ja«, sagte Biegler.

»Sie müssen unbedingt auf das Weißhorn. Eine herrliche Aussicht«, sagte die Frau, die von ihrem Mann »Schätzle« genannt wurde.

»Ja«, sagte Biegler noch einmal. Das Fett der Käsenockerln spritzte auf sein Hemd.

»Oder gehen Sie doch in die Bletterbachschlucht. Sie ist von der UNESCO zum ›Weltnaturerbe‹ ernannt worden. Dort können Sie Millionen Jahre alte Steinschichten sehen, es ist phantastisch.«

Biegler antwortete nicht, aber Schätzle gab nicht auf. »Sie sind noch nicht lange hier, oder?«

»Vier Tage«, sagte Biegler. Er fragte die Kellnerin nach Brot, trockenem Brot.

»Sie können an der Rezeption eine Wanderkarte bekommen«, sagte der Mann. »Ist hilfreich beim ersten Mal.«

»Danke«, sagte Biegler.

»Was haben Sie bisher denn gesehen?«, fragte Schätzle.

»Den Friedhof im Dorf. Mir gefallen die Emaillebilder der Toten, sie wirken so lebendig«, sagte Biegler.

»Ach ja?« Schätzle klang verunsichert. »Wollen Sie sich vielleicht uns anschließen? Wir gehen morgen auf den Pass.« Sie lächelte ihn an. Sie war ungeschminkt und hatte eine gesunde rosa Haut.

»Nein«, sagte Biegler.

»Wollen Sie denn nicht wandern?«, fragte der Lehrer. Seine Brille war vom Dampf des Essens beschlagen.

»Nein.«

Die beiden starrten ihn an. In solchen Momenten rettete Elly die Situation. Aber Elly war nicht da. Biegler legte sein Besteck zur Seite. »Warum mögen Sie die Natur?«, fragte er.

»Was ist das denn für eine Frage?«, sagte der Lehrer und lachte. »Jeder liebt die Natur.«

»Ich nicht«, sagte Biegler. »Außerdem beantwortet das die Frage nicht.«

»Warum ich die Natur liebe …?«, fragte der Lehrer.

»… Wir brauchen die Natur, aber die Natur braucht uns nicht«, sagte Schätzle. Sie sagte es streng.

»Sie klingen wie ein Autoaufkleber«, sagte Biegler.

»Warten Sie … ich kenne Sie irgendwoher«, sagte der Lehrer. Er hatte sich wieder gefangen. »Jetzt weiß ich es, ich habe Sie im Fernsehen gesehen. Sie haben diesen Mörder in Köln verteidigt, der seine ganze Familie umgebracht hat.«

»Nein«, log Biegler. Er hatte keine Lust auf diese Wendung des Gesprächs. »Ich habe immer noch nicht verstanden, warum Sie die Natur mögen.«

»Es ist so schön und erholsam zu wandern«, sagte Schätzle. »Und …«

»… und die Natur ist viel klüger als wir«, sagte der Lehrer.

»Unsinn«, sagte Biegler. »Denken Sie an die Aale.«

»An die Aale?«, fragte Schätzle und verzog ihr Gesicht. Sie schien Aale nicht zu mögen.

»Aale sind perfekt, um die Natur zu verstehen«, sagte Biegler. »Es ist so: Jeder Aal, den Sie irgendwo in Europa sehen, ist im Atlantik bei den Bahamas geboren, in der Sargassosee. Die Larven schwimmen von dort aus nach Europa. Sie brauchen ungefähr drei Jahre. Verstehen Sie? Drei Jahre tun sie nichts anderes, als durch das Meer zu schwimmen. An der Küste werden sie größer, schwimmen die Flüsse hinauf, schlängeln sich über feuchte Wiesen und leben schließlich die nächsten zwanzig Jahre in irgendeinem Gewässer. Das wäre ja schon Irrsinn genug. Aber dann wird die Sache widerlich: Der Aal hört auf zu fressen. Und er verändert sich: Seine Augen werden größer, sein Magen und sein After verschwinden und in ihm bilden sich riesige Geschlechtsorgane. Glauben Sie mir, sie sind wirklich riesig, sie füllen den Aal aus, man könnte sogar sagen, der ganze Aal ist jetzt ein einziges Geschlechtsorgan. Und was macht er?«

Das Lehrerehepaar starrte Biegler an.

»Er muss zurück«, sagte Biegler. »5000 Kilometer wieder über Wiesen, Flüsse, Meere zurück in die Sargassosee. Endlich, halb tot vor Erschöpfung, kommt er an. Die anderen Aale sind schon da. Er taucht einen halben Kilometer tief, hat das eine Mal in sei-

nem Leben Sex – natürlich im Dunkeln – und stirbt.«
Biegler schob seinen Teller zur Seite. Er wartete
einen Moment.

»Ich will Ihnen damit nur sagen, dass ich nicht
glaube, dass sich die Natur bei den Aalen irgendetwas Vernünftiges überlegt hat. Ich bin mir sogar
ziemlich sicher, dass sich die Natur überhaupt noch
nie etwas überlegt hat. Die Natur denkt nicht, sie ist
feindlich, bestenfalls gleichgültig. Um also Ihre Frage
zu beantworten: Vielen Dank für die Einladung, aber
ich werde auf keinen Fall auf irgendwelche Berge
steigen oder mir Millionen Jahre alte Steinschichten
ansehen.«

Biegler stand auf, nickte dem Ehepaar zu und ging
auf sein Zimmer.


Draußen war es noch hell. Die Wiese vor seinem
Fenster fiel steil ab, bis zu einem Teich in einer Senke.
Eine Ente schwamm dort langsam im Kreis herum,
das Wasser war schwarz. Er hörte eine Mücke hinter
seinem Ohr, schloss das Fenster und klemmte sich
den Daumen ein.

In dem winzigen Zimmer wurde es schnell stickig,
aus der Plastikdusche roch es nach Putzmitteln. Er
suchte die Mücke, fand sie nicht, duschte, zog seinen
Schlafanzug an und legte sich ins Bett. In dem Hotel-
prospekt las er, den Gästen würde ein »Alm-Heubad«
für »Frische und Wohlgefühl« angeboten. Biegler

dachte an seine Heuallergie. Er überlegte, ob Elly ihm glauben würde, wenn er eine Allergie gegen Bergluft behauptete.

Biegler schloss die Augen. Er sah sich mit dem Lederhosenmann, der massiven Frau und dem Lehrerehepaar im Morgentau nackt über die frisch gemähte Wiese hüpfen. Dann schlief er ein.

**2**

Biegler wachte vom Motor eines Lieferwagens auf.
Er hatte nachts das Fenster wieder geöffnet, jetzt
roch es im Zimmer nach Diesel. Er sah auf seine Uhr,
es war kurz vor sechs. Er versuchte wieder einzu-
schlafen. Ein paar Minuten später läuteten die Glocken der Kirche zur Frühmesse. Biegler stöhnte und
setzte sich auf. Er nahm den Mantel vom Haken, zog
ihn über den Pyjama und ging in seinen Hausschu-
hen nach draußen.

Es war kühl. Er zündete sich einen Zigarillo an.
Um diese Zeit saß Elly schon in ihrem Wintergarten
und frühstückte. Sie würde um acht in ihre Praxis gehen. Er rief sie an.

»Mir ist langweilig«, sagte er.

»Gefällt es dir gar nicht?«

»Ein Zauberberg für Oberstudienräte.«

»Warst du wandern?«

»Jeden Tag. Ich bin schon völlig erholt. Eigentlich könnte ich zurückfahren.«

»Du solltest noch dort bleiben, Biegler«, sagte Elly. Sie sagte es sanft. Elly nannte ihn immer nur »Biegler«.

»Weißt du, das Essen hier ist furchtbar. Ich habe dauernd Magenschmerzen«, sagte Biegler.

»Mindestens noch drei Wochen«, sagte sie.

Er kannte das, sie konnte in ihrer Sanftheit streng sein. Er zog an seinem Zigarillo und musste husten.

»Und du solltest weniger rauchen.«

Sie verabschiedeten sich. Biegler steckte das Telefon in den Mantel. Er wäre jetzt gerne in seinem Café am Savignyplatz. Er dachte daran, wie es wäre, dort Zeitung zu lesen, ein Croissant zu essen und den Leuten auf der Straße zuzusehen.

Elly sprach in letzter Zeit öfter von einer Weltreise. Die Idee, andere Länder zu sehen, gefiel ihm, aber sobald er dort war, konnte er es nicht aushalten. Es war jedes Mal etwas anderes: die Betten, sein Magen, die Hitze, die Insekten, die Transportmittel. Er weigerte sich auch, ins Meer zu gehen, er war der Ansicht, der Mensch gehöre aufs Land.

Biegler rauchte noch ein paar Züge. Er bekam Angst, nicht wieder in einen Gerichtssaal zu dürfen. Er legte den Zigarillo in einen Aschenbecher, in dem sich das Regenwasser der Nacht gesammelt hatte.

Nach dem Frühstück – Biegler trank gerade den zweiten Kaffee auf der Terrasse – klingelte sein Telefon. Er beachtete es nicht, weil er den Ton nicht zuordnen konnte. Erst als die anderen Gäste ihn ansahen und ein Mann die Augenbrauen hochzog, begriff er es. Es war seine Sekretärin. Bieglers Büroleiter hatte sie eingestellt, er hatte gesagt, sie sei sehr tüchtig. Biegler hatte sie nur kurz an ihrem ersten Arbeitstag gesehen, danach war er ins Krankenhaus gekommen. Sie war jung, hübsch und intelligent.

»Guten Morgen, Herr Biegler«, sagte sie. »Wie ist Ihr Urlaub?«

Eine angenehme Stimme hat sie auch noch, dachte Biegler. Jemand wird sich in sie verlieben und sie heiraten, sie wird schwanger und ich muss alles bezahlen.

»Neblig«, sagte er.

»Erholen Sie sich?«, fragte sie.

»Niemand erholt sich in den Ferien«, sagte Biegler. »Warum rufen Sie an?«

»Einen Moment, ich verbinde.«

Einer der jungen Anwälte aus seinem Büro kam ans Telefon. »Bitte entschuldigen Sie, Herr Biegler, dass wir Sie stören. Aber wir können das nicht ohne Sie entscheiden.«

»Was entscheiden?«, fragte Biegler.

»Wir haben heute Morgen einen Anruf aus der

Haftanstalt bekommen. Ein Gefangener möchte, dass Sie seine Verteidigung übernehmen. Die Lebensgefährtin war auch schon hier, die Finanzierung ist gesichert.«

»Was wird ihm vorgeworfen?«

»Er hat eine Frau umgebracht. Es ist diese große Pressesache, fast jeden Tag wird über den Fall berichtet. Ist etwa fünf Monate her.«

»Soll«, sagte Biegler.

»Wie bitte?«

»Er *soll* eine Frau umgebracht haben. Solange er nicht verurteilt ist: *soll*. Himmel noch mal, was lernt ihr eigentlich?«

»Entschuldigen Sie bitte.«

»Ist er schon angeklagt?«

»Seit einem Monat. Das Schwurgericht will jetzt die Termine für die Hauptverhandlung festsetzen.«

»Welche Kammer?«

»Die Vierzehnte.«

»Staatsanwaltschaft?«

»Monika Landau.«

»Kenne ich die?«

»Sie ist seit sechs Jahren in der Abteilung für Kapitalverbrechen. Sie kommt von den Betäubungsmitteln, davor Raub. Sie gilt als fair. Wir hatten sie aber noch nicht in einem Prozess.«

»So eine große Dunkelhaarige, Anfang vierzig?«

»Ja, genau.«

»Ich erinnere mich«, sagte Biegler. »Wer macht das psychiatrische Gutachten?«

»Bisher niemand. Der Mandant hat eine Begutachtung abgelehnt.«

»Klingt interessant«, sagte Biegler, »aber ich darf hier nicht weg.«

»Das haben wir uns auch gedacht. Aber dann haben wir diesen Vermerk in den Akten gefunden und beschlossen, Sie anzurufen.«

»Was für einen Vermerk?«

»Der Mandant hatte bisher einen Pflichtverteidiger. Wir wissen nicht, ob er den Vermerk nicht gesehen hat oder ob es ihm egal war. Jedenfalls ist davon noch nichts in der Presse.«

»Nochmals: Was für ein Vermerk?«

In diesem Moment fuhr der Bauer mit dem defekten Traktor an der Terrasse vorbei. Biegler presste das Telefon an sein Ohr, um den Anwalt zu verstehen. Er schrie ihn an, er solle lauter sprechen. Dann sagte er: »Faxen Sie mir den Vermerk nicht hierher, das ist mir zu unsicher. Ich fahre sofort los und bin heute Abend im Bayerischen Hof in München, schicken Sie ihn per Boten dorthin. Beantragen Sie Haftprüfung. Und dann suchen Sie sich jemanden im Büro aus, der übermorgen den Aktenvortrag für mich hält. Ich müsste gegen 14 Uhr in der Kanzlei sein.«

»Ja, mache ich alles.«

»Ich melde mich«, sagte Biegler und legte ohne Verabschiedung auf.

Der Wirt berechnete Biegler sämtliche Tage, die er gebucht hatte. Das Leitungswasser auf der Rechnung hieß »Zirmerhofwasser« und kostete zwei Euro pro Krug. Biegler ärgerte sich furchtbar, er zitierte Montaignes Reiseberichte über Gastwirte, er sagte, schon damals seien sie Halsabschneider gewesen.

Er war froh, als er in seinem Wagen saß. Auf dem halben Weg ins Tal hielt er an. Er stieg aus und ging auf einem Schotterweg durch die Apfelgärten. Nach einiger Zeit zog er sein Jackett aus und trug es über dem Arm. Er riss einen Apfel von einem Zweig und aß ihn, mit einem Taschentuch wischte er über seinen Nacken. Zwei Stunden später war er vom Wandern müde, er setzte sich auf einen Stein. Es war windstill, seine Schuhe waren staubig. Biegler wurde ganz ruhig. Er dachte an seinen sechzigsten Geburtstag letztes Jahr. Ein Bekannter hatte ihm ein Rohr aus Stahl geschenkt, er hatte gesagt, es könne sogar einen Atomkrieg überstehen. »Legen Sie die Sachen rein, die Sie überdauern sollen, und vergraben Sie es in Ihrem Garten.« Das Rohr hatte eine Woche auf Bieglers Schreibtisch gelegen, dann hatte er es weggeschmissen.

Auf der Fahrt über den Brenner hörte er Jazz. Bill Evans: »Explorations«, Dave Brubeck: »Time Out«, Herbie Hancock: »The New Standard«. Mit 17 hatte er selbst Musiker werden wollen. Er war damals in Clubs aufgetreten, er hatte Jazztrompete gespielt. Die Leute mochten seinen runden, weichen Ton. Aber dann hatte er Albert Mangelsdorff mit seiner riesigen Posaune gehört. Mangelsdorff hatte gleichzeitig geblasen und in das Mundstück gesungen. Biegler war sofort klar gewesen, dass er selbst nie wieder spielen würde.

Er schob den Anruf bei Elly hinaus, bis er über die italienisch-österreichische Grenze war. Natürlich schimpfte sie. »Du bist nicht zu retten, Biegler«, sagte sie.

Drei Stunden später parkte Biegler vor dem Bayerischen Hof in München. »Zivilisation«, sagte er und meinte Zimmerservice. Er gab dem Concierge zu viel Trinkgeld.

Obwohl Biegler sonst nur duschte, lag er fast eine Stunde in der Badewanne. Als der Etagenkellner den Briefumschlag in seinem Zimmer abgab, hatte er noch den Bademantel an. Biegler suchte seine Lesebrille, setzte sich an den Schreibtisch und las den Vermerk. Er legte sich auf das Sofa. Er wusste, wie krank er war, aber er musste zurück. Sie sind zu weit gegangen, dachte er.

# 3

Am übernächsten Morgen in Berlin stand Biegler um sechs Uhr auf. In der Nacht hatte er die Akten gelesen und wenig geschlafen. Trotzdem fühlte er sich frisch und erholt. Er frühstückte mit Elly.

»Letzte Woche war der Baumsachverständige da«, sagte Elly hinter ihrer Zeitung.

»Wer bitte?«

»Der Baumsachverständige. Wenn du hier einen Baum fällen willst, muss ein Baumsachverständiger es erlauben.«

»Oh Gott«, sagte Biegler.

»Er hat gesagt, der Baum sei völlig gesund. Du darfst ihn nicht fällen«, sagte Elly.

Der Baum stand vor dem Wintergarten, in dem sie jeden Morgen frühstückten. Er verdunkelte das Zimmer.

»Heißt das, ich muss weiter im Schatten leben?«

»So in etwa«, sagte Elly.

»Die Deutschen sind wirklich verrückt«, sagte Biegler. »Ich werde den Baum vergiften. Mit Blei. Wie macht man das eigentlich?«

Elly antwortete nicht.

»Ich könnte einen Mandanten anrufen, der auf den Baum schießt«, sagte Biegler.

»Hör auf zu schimpfen«, sagte Elly.

Vor zwei Jahren hatte Elly ihn zu einem Psychoanalytiker geschickt. Er werde immer unerträglicher, hatte sie gesagt. Er war tatsächlich dorthin gegangen, acht Sitzungen hatte er dem Analytiker beim Atmen zugehört. Jede Stunde hatte ihn 85 Euro gekostet. Natürlich hatte Biegler kein Wort gesprochen. Er hatte es langweilig gefunden, über sich selbst nachzudenken. Nach 680 Euro hatte er die Analyse abgebrochen. Er traute sich nicht, es Elly zu sagen, und lebte seitdem in der Angst, sie würde es rausbekommen. Er hatte Freuds »Gesammelte Werke« gekauft, manchmal zitierte er daraus. Er hoffte, damit durchzukommen.

»In der Zeitung steht, du hättest den Fall dieses Künstlers übernommen«, sagte Elly.

»Vielleicht mache ich es.«

»Sie schreiben, er sei es wahrscheinlich gewesen.«

»Sonst wäre es keine Meldung«, sagte Biegler.

Elly schlug ihm vor, der neuen Sekretärin Blumen

mitzubringen, aber er lehnte es ab. »Blüten sind geöffnete Geschlechtsorgane, so etwas verschenke ich nicht, vor allem nicht an eine junge Frau«, sagte er.

Um acht Uhr fuhr er in die Haftanstalt nach Moabit. An der Abfertigung legte er die Vollmacht für Eschburg vor und bat darum, den Mandanten zu sprechen. Die Beamtin telefonierte, dann fragte sie Biegler, ob er sich im Urlaub erholt habe. Biegler antwortete nicht.

Eschburg sei zurzeit der prominenteste Gefangene, sagte die Beamtin. Ganz ruhig sei er, meistens liege er auf dem Bett in der Zelle, zu Aufsehern und Mitgefangenen sei er höflich. Er verzichte auf den Hofgang. Er habe sich bisher über nichts beschwert und er habe keinerlei Sonderbehandlung verlangt.

»Das klingt doch angenehm«, sagte Biegler.

»Irgendetwas ist seltsam an ihm«, sagte die Beamtin.

»Was?«, fragte Biegler.

»Ich weiß auch nicht«, sagte die Beamtin. »Es ist nur so ein Gefühl.«

»Ein Gefühl also«, sagte Biegler. Die Beamtin nickte.

Nach ein paar Minuten kam Eschburg. Biegler nahm ihn mit in eine der Anwaltssprechzellen.

»Rauchen Sie?«, fragte Biegler.

»Ich habe es mir hier abgewöhnt«, sagte Eschburg.

Biegler steckte seine Zigarillos wieder ein. »Rauchen ist in den Sprechzellen ohnehin verboten. Sie haben mich gebeten, Ihre Verteidigung zu übernehmen.«

»Ja.«

»Sie haben schon einen Pflichtverteidiger.«

»Aber jetzt brauche ich Sie«, sagte Eschburg.

»Weshalb?«

»Jeder da draußen hält mich für einen Mörder.«

»Na ja, Sie haben ein Geständnis abgelegt«, sagte Biegler.

»Ja.«

»Und Sie haben es unterschrieben.«

»Ja. Aber es war erzwungen.«

»Wollen Sie damit sagen, dass es nicht stimmt?«, fragte Biegler.

»Ich möchte, dass Sie mich so verteidigen, als sei ich nicht der Mörder.«

»Als *seien* Sie nicht der Mörder? Verstehe ich das richtig? Sind Sie einer oder sind Sie keiner?«, fragte Biegler.

»Ist das wichtig?«

Es war eine gute Frage. Biegler hatte sie noch nie von einem Mandanten gehört. Journalisten stellen solche Fragen, Studenten oder Referendare, dachte er. »Für die Verteidigung ist es nicht wichtig, wenn Sie das meinen«, sagte Biegler.

»Und für Sie persönlich?«

»Bei einer Verteidigung geht es nur um die Verteidigung.«

»Das ist der Grund, weshalb ich Sie als Anwalt möchte. Nicht alle haben diese Einstellung.« Eschburg wirkte völlig ruhig. »Haben Sie die Akte gelesen?«, fragte er.

»Ich habe schon Schlimmeres gesehen«, sagte Biegler.

»Wie würden Sie mich verteidigen?«

Biegler sah Eschburg an. »Wenn man einen Freispruch von einer Mordanklage will, gibt es sechs Möglichkeiten. Erstens: Es war richtig zu töten – kommt selten vor. Zweitens: Es war Notwehr. Drittens: Es war ein Unfall. Viertens: Sie wussten nicht, was Sie taten, oder Sie konnten das Unrecht Ihres Handelns nicht einsehen. Fünftens: Sie waren es nicht, ein anderer hat's getan. Und – ebenfalls sehr selten – sechstens: Es gibt gar keinen Mord. Spielen wir es einmal durch: Notwehr, Unfall und Schuldunfähigkeit lassen wir vorerst beiseite. Beginnen wir mit dem Alternativtäter. Wer, wenn nicht Sie, könnte der Täter sein?«

Eschburg überlegte eine Weile. »Niemand.«

»Haben Sie keine Nachbarn?«, fragte Biegler.

»Doch, eine Frau, Senja Finks«, sagte Eschburg.

»Wer ist das?«

Eschburg erzählte, was er von ihr wusste, auch von dem Messerangriff und ihren Verletzungen.

»Gut«, sagte Biegler. Er schrieb alles in sein Notizbuch. »Darüber kann man nachdenken. Kommen wir zur letzten Verteidigungsmöglichkeit. Sie ist hier die interessanteste: Es gibt keinen Mord.«

»Ich habe doch gestanden.«

»Ja, das haben Sie.«

»Aber?«, fragte Eschburg.

»Die Staatsanwaltschaft wird alles versuchen, damit das Geständnis bei Gericht durchgeht. Aber ich vermute, das Schwurgericht wird es nicht verwerten wollen. Wenn das so ist, werden die Richter prüfen müssen, ob die anderen Indizien ausreichen. Dazu gibt es offene Fragen. Die zwei wichtigsten: Wer war die Frau? Und wo ist ihre Leiche? Ihr Geständnis bricht an diesem Punkt ab.«

»Muss ich die Fragen des Gerichts beantworten?«

»Nein.« Biegler schlug die Akte auf. »Hier, Ihr letzter Satz: ›Ich habe die Leiche verschwinden lassen. Ich habe sie aufgelöst.‹ Das ist das Ende der Vernehmung.« Biegler drehte die Akte zu Eschburg und zeigte ihm die Stelle.

»Ich erinnere mich«, sagte Eschburg.

»Wie haben Sie es gemacht?«

»Was?«

»Die Sache mit dem Verschwinden? Wie Houdini, der Zauberer?«

»Mit Chemikalien.«

»Aha.«

»Als Fotograf habe ich Zugang dazu.«

»Und weiter?«

»Ich habe die Leiche in ein Salzsäurebad gelegt. Sie hat sich aufgelöst«, sagte Eschburg.

Biegler zog die Akte wieder zu sich und legte sie zurück in seine Tasche. Er stand auf. »Ich glaube nicht, dass ich Sie verteidigen werde.«

»Weshalb?«

Endlich, dachte Biegler, zum ersten Mal reagiert er. »Weil ich Ihnen nicht glaube. Natürlich müssen Sie mir nicht die Wahrheit sagen, Sie können alles abstreiten. Sie können schweigen, Sie können sogar verschiedene Versionen einer Geschichte an mir ausprobieren. Lügen sind in Ordnung. Aber eines kann ich nicht ausstehen: wenn Mandanten etwas gestehen, was sie *nicht* getan haben.«

»Ich verstehe nicht«, sagte Eschburg.

»Leichen in Salzsäure – das gehört in einen Kriminalroman. Es funktioniert nicht, jedenfalls nicht besonders gut. Selbst nach vielen Tagen in einem Salzsäurebad löst sich ein Körper nicht richtig auf. Die Brühe wird gelblich, es bleiben organische Klumpen zurück. Von Zähnen und Knochen ganz zu schweigen.«

»Und was ist mit diesem Fall in Belgien, der Pastor?«, fragte Eschburg.

»Sie haben sich erkundigt? Interessant. Sie meinen András Pándy, den Ungarn«, sagte Biegler, während er sich den Mantel anzog. »Richtig, Pándy tötete vier seiner acht Kinder. Aber er nahm keine Salzsäure, er benutzte einen Rohrreiniger. Damals konnte man den in jeder Drogerie kaufen. Pándys Tochter hat die Taten gestanden. Sie war übrigens auch ziemlich unangenehm, hat ihre Mutter erschossen, um ungestört mit ihrem Vater schlafen zu können.«

Biegler ging im Mantel in der Zelle auf und ab. Er hatte die Hände auf dem Rücken. Manchmal hielt er so Gastvorträge an der Polizeihochschule.

»Die junge Frau hat jedenfalls behauptet, die Leichen zerteilt, in Rohrreiniger eingelegt und dann das Ganze durch den Abfluss gespült zu haben. Niemand hat es geglaubt. Der belgische Untersuchungsrichter wollte die Sache überprüfen. Meines Wissens war es das einzige Mal, dass so ein Vorgang wissenschaftlich untersucht wurde.«

»Funktionierte es?«

»Im Experiment wurden zuerst Schweineköpfe zerstückelt und in diesen Abflussreiniger gelegt. Es war erstaunlich, sie lösten sich tatsächlich innerhalb von 24 Stunden vollständig auf, samt Zähnen, Haaren und Knochen. Danach probierte man es mit menschlichen Leichenteilen, es war eine ziemliche Sauerei. Ethisch auch nicht unbedenklich, ich habe dazu einen Artikel veröffentlicht. Der Versuch mit den Leichen ging aus wie der Versuch mit den Schweinen: Alles löste sich perfekt und rasend schnell

auf. Der Rohrreiniger kam aus England, er hieß Cleanest.« Biegler lächelte. »Irgendwie ein passender Na-
me, finden Sie nicht?«

Er blieb neben Eschburg stehen und beugte sich
vor. »Aber das war 1998, vor vierzehn Jahren. Als
das Experiment öffentlich bekannt wurde, änderte
der Hersteller von Cleanest die Zusammensetzung
des Reinigers. Und: Salzsäure war nie ein Bestand-
teil.«

Biegler fand es beunruhigend, wie sehr sein eige-
ner Eindruck von den Beschreibungen Eschburgs in
den Akten abwich. Der junge Mann war nicht kalt.
Es war etwas anderes: Eschburg schien auf etwas zu
warten, aber Biegler wusste nicht, was es war. »Machen Sie sich also nichts vor«, sagte Biegler, »Sie wären vermutlich noch nicht einmal in der Lage, eine
Leiche zu zerteilen. Schon das ist alles andere als
leicht. Ich muss jetzt gehen.«

»Bleiben Sie bitte noch einen Moment«, sagte
Eschburg. Er zog einen Zeitungsausschnitt aus seiner Jacke und legte ihn auf den Tisch. Biegler nahm
das Papier. Es war ein Artikel über ihn. Damals hatte
er in einem Vergewaltigungsfall verteidigt.

»Ja und? Es gibt bekanntere Anwälte«, sagte er.

»Darum geht es mir nicht. Sie haben in diesem
Interview gesagt, Wahrheit und Wirklichkeit seien
ganz verschiedene Dinge, so wie Recht und Moral
sich unterscheiden würden. Haben Sie das nur ge-

sagt, weil es gut klingt?« Wie die meisten Gefangenen war Eschburg bleich. Er trug eine schwarze Kaschmirjacke und einen schwarzen Rollkragenpulli. Sie verstärkten seine Blässe noch.

»Hier steht, dass Sie eigentlich Musiker werden wollten. Sie hätten dann aber das Jurastudium begonnen.« Eschburg las vor: »»Das Gericht ist die letzte wichtige Institution, die sich mit Wahrheit beschäftigt‹ – genau deshalb will ich, dass Sie mich verteidigen.«

»Das ist sehr lange her«, sagte Biegler. »Sie sind angeklagt, einen Menschen getötet zu haben. Sie sollten sich ausschließlich Gedanken um sich selbst machen.«

»Das tue ich ja«, sagte Eschburg. »Werden Sie mich verteidigen?«

»Weil Wirklichkeit und Wahrheit verschiedene Dinge sind?«, fragte Biegler.

»Weil Sie es verstehen«, sagte Eschburg.

Biegler sah auf die Uhr. Er setzte sich wieder. »Also gut, ich finde Ihren Fall interessant. Aber nicht wegen der angeblich verschwundenen Leiche und schon gar nicht, weil Sie ein bekannter Künstler sind. Mich interessiert nur die Foltersache an Ihrem Fall.«

»Soll ich es schildern?«

»Nein«, sagte Biegler. »Es gibt einen Vermerk der Staatsanwältin dazu. Nur auf ihn kommt es an. Ich fürchte, das Gericht würde Ihnen nicht glauben, wenn Sie etwas anderes erzählen. Vorerst reicht mir dieser Vermerk. Morgen habe ich in Ihrer Sache einen Termin mit der zuständigen Staatsanwältin und dem Vorsitzenden Richter. Übermorgen soll Ihre Haftprüfung sein. Wir werden also sehen. Ich lasse Ihnen heute noch die kopierten Akten bringen.«

Biegler verließ die Untersuchungshaftanstalt über die Kellertreppe zum Gericht. Nasses Laub lag auf der Straße, es klebte auf den Motorhauben der Autos, die großen Scheiben der Busse waren beschlagen.

Vielleicht hatte die Beamtin recht, dachte Biegler, und mit dem Mann stimmte etwas nicht. Eschburg konnte sich den Zeitungsartikel nicht erst im Gefängnis besorgt haben, er musste ihn schon vor seiner Inhaftierung gehabt haben. Plötzlich spürte Biegler wieder den Druck in seiner Brust, der Schmerz strahlte über die Schulter bis in den Unterkiefer aus. Er lehnte sich an die Mauer des Gerichts. Er wartete, bis der Druck schwächer wurde. Obwohl es schon kühl war, zog er seinen Mantel aus.

Er ging durch den kleinen Park zur Kirche. Er war seit Jahren nicht mehr in einer Kirche gewesen, seit der Taufe seines Sohnes. Die Tür stand offen. Er nahm seinen Hut ab und setzte sich in die letzte Reihe. Die Kirche war leer. Das Licht fiel schräg durch die gelben Fenster auf den Boden. In die Bank hatte jemand ein Monogramm geritzt. Biegler legte seine Stirn auf die Lehne vor ihm. Eine Bodenfliese hatte einen Sprung. Er wischte mit dem Schuh darüber. Eine Weile blieb er so sitzen und starrte auf die Fliese.

Vor der Kirche reparierte ein Junge auf dem Bürgersteig sein Fahrrad. Er hatte es auf Lenker und Sattel gestellt und drehte mit den Pedalen das Hinterrad. Es hatte eine Unwucht. Der Junge hatte schmutzige Hände und eine Schürfwunde am Ellbogen. Er versuchte das Rad mit seinen Unterarmen gerade zu biegen.

»Das wird nicht gehen«, sagte Biegler. Der Junge sah zu ihm hoch. Biegler zuckte mit den Schultern. »So ist das nun mal«, sagte Biegler. Der Junge versuchte es weiter. Biegler sah noch eine Zeit lang zu, dann zog er seine Brieftasche aus der Jacke und gab ihm zwanzig Euro. »Kauf dir eine neue Felge«, sagte er. Der Junge nahm das Geld und steckte es ein, ohne etwas zu sagen.

**4**

»Mandelbiskuit?« Der Vorsitzende Richter hielt eine Blechdose mit Keksen über den Schreibtisch. Er trug einen blauen Blazer mit goldenen Knöpfen, auf die ein Phantasiewappen graviert war. Er war glatt rasiert, rosa Haut, Doppelkinn, abstehende Ohren. Er trug eine kreisrunde Brille, die ihm zu groß war. Menschen, die ihn nicht kannten, hielten ihn für freundlich, vielleicht sogar für ein wenig dumm.

»Sind von meiner Frau«, sagte der Vorsitzende.

Landau schüttelte den Kopf, Biegler nahm einen. Er schmeckte wie Pappe. Biegler dachte daran, dass der Vorsitzende vor ein paar Jahren eine Affäre mit einer Referendarin gehabt hatte. Es gab das Gerücht, dass ihn das seine Berufung zum Richter am Bundesgerichtshof gekostet hatte.

»Vielen Dank«, sagte Biegler.

Der Vorsitzende beobachtete Biegler beim Kauen. »Sie ist eine großartige Bäckerin«, sagte er. »Noch einen?«

»Danke, gerne.« Er selbst isst sie nicht, dachte Biegler.

»Die Anklage wurde Ihnen zugestellt?«, fragte der Vorsitzende Biegler.

»Habe ich bekommen, ja.« Er hatte den Mund voll Mehl und Zucker.

»Dann können wir anfangen. Wenn Sie auf die Fristen verzichten, könnten wir am kommenden Montag mit der Hauptverhandlung beginnen. Ein anderer Prozess ist unerwartet ausgesetzt worden, wir haben also plötzlich Zeit für dieses Verfahren.«

»Das ist etwas überraschend«, sagte Biegler. »Ich bin noch nicht vorbereitet. Also wird keine Haftprüfung stattfinden?«

»Nein, wir würden gleich mit der Hauptverhandlung beginnen, wenn es Ihnen recht ist«, sagte der Vorsitzende.

»Heben Sie den Haftbefehl gegen Eschburg trotzdem jetzt schon auf?«, fragte Biegler.

»Warum sollten wir das tun?«, fragte der Vorsitzende.

»Weil sein Geständnis nicht verwertbar ist. Der Polizist hat ihm mit Folter gedroht. Das ist doch nach dem Vermerk von Frau Landau völlig klar«, sagte

Biegler. »Wir sind natürlich froh, dass Sie die Sache so schnell verhandeln können, aber ich möchte gerne, dass er auf freien Fuß kommt.«

Der Vorsitzende nickte. »Die Frage der Folter ist eines der Probleme dieses Verfahrens«, sagte er. Er sah Landau an und wartete.

»Wir können das in der Hauptverhandlung klären«, sagte Landau.

Sie ist gut, dachte Biegler, kein bisschen unsicher. Er drehte sich auf seinem Sessel zu ihr. »Ich verstehe nicht, warum Sie das nicht längst geklärt haben. Obwohl Sie dabei waren, haben Sie das Geständnis Eschburgs in die Anklageschrift aufgenommen, als wäre nichts gewesen. Wir wissen hier doch alle, dass es nicht verwertbar ist.«

»Über die Verwertbarkeit wird das Gericht entscheiden«, sagte Landau.

»Seien Sie nicht albern«, sagte Biegler.

»Es ist eine ernste Sache«, sagte der Vorsitzende. »Ich mache das nun schon seit fast dreißig Jahren. Noch nie hatte ich einen Fall der Folter. Wenn sich der Vorwurf als wahr herausstellt, werden wir das Geständnis natürlich nicht verwerten.« Der Vorsitzende klang hart. »Aber ich gebe Frau Landau recht. Die Kammer wird erst im Rahmen der Hauptverhandlung den Foltervorwurf prüfen können. Herr Biegler, bevor Ihr Mandant aussagt, werden wir den Polizisten und dann vielleicht noch Frau Landau selbst als Zeugen hören. Die Frage ist, ob Ihr Mandant sein Geständnis wiederholen wird.«

»Ich habe das mit ihm noch nicht besprochen«, sagte Biegler. »Ich glaube aber nicht, dass Sie hier überhaupt einen Fall haben. Sie haben keine Leiche. Sie wissen noch nicht einmal, wer getötet worden sein soll. Ich weiß, dass diese Kammer schon einmal über einen Mord ohne Leiche verhandelt hat. Aber damals gab es Zeugen, die gesehen haben, was passiert ist. Es gab Hunderte Indizien ...«

»Es gab sogar Fotos von der Leiche«, sagte der Vorsitzende.

»So ist es. Aber hier gibt es nichts«, sagte Biegler.

»Das ist nicht wahr«, sagte Landau. »Wir haben den Anruf des Opfers bei der Polizei. Außerdem haben wir die sadistischen Pornos, die Handschellen, die Peitschen, das Obduktionsbesteck, den gemieteten Wagen mit Blutanhaftungen, das zerrissene Kleid in der Mülltonne und so weiter. Diese Indizien sind unabhängig vom Geständnis Ihres Mandanten.«

Biegler gefiel, dass Landau kämpfte. Ich würde das genauso machen, dachte er.

»Bisher wissen wir nur von einem Anruf einer unbekannten Frau«, sagte Biegler. »Wir kennen die Frau aber nicht. Es könnte ein Scherz sein. Oder eine falsche Verdächtigung. Eschburg ist sehr bekannt und wie alle Menschen in der Öffentlichkeit ist er dauernd solchem Unsinn ausgesetzt. Darauf kön-

nen Sie nichts stützen. Was Ihre anderen *Indizien* an-
geht – nichts davon ist verboten, oder? Und das Kleid?
Wissen Sie wirklich, warum es zerrissen ist? Oder
wer es war? Glauben Sie im Ernst, ein Gericht wird
einen Menschen deshalb 25 Jahre einsperren?«

»Ihr Mandant kann sich ja unseren Fragen stellen«,
sagte Landau.

»Jetzt machen Sie sich aber wirklich lächerlich«,
sagte Biegler.

»Das Gericht wird die Indizien zusammen würdi-
gen, nicht nur die einzelnen Teile«, sagte Landau.

»Ich finde es schön, dass Sie immer so genau wissen, was das Gericht machen wird, aber ...«, sagte
Biegler.

»Schon gut.« Der Vorsitzende unterbrach Biegler.
»Sie müssen hier nicht plädieren.«

»Darf ich rauchen?«, fragte Biegler.

»Auf keinen Fall, das ist ein öffentliches Gebäude«,
sagte Landau.

»Es ist kein Gebäude, sondern mein Dienstzimmer«, sagte der Vorsitzende. »Trotzdem Nein. Aber
Sie können noch Biskuit haben.«

Biegler schüttelte den Kopf. Er hatte bereits Sod-
brennen.

»Ich will der Hauptverhandlung nicht vorgreifen,
Frau Staatsanwältin«, sagte der Vorsitzende. »Aber
ich fürchte, Sie sollten sich noch einmal an die Akten
setzen. Die Beweislage ist tatsächlich dünn.«

»Noch kann man Beweise nicht im Fachhandel kaufen«, sagte Biegler.

»Seien Sie nicht so arrogant«, sagte Landau.

»Ach ja?« Biegler wurde wütend. »Mein Mandant sitzt seit 17 Wochen in Untersuchungshaft. Sie haben monatelang ermittelt, ohne irgendetwas Vernünftiges vorlegen zu können. Sie gehen mit der Freiheit meines Mandanten um, als wäre es eine Dose Katzenfutter. Ihr Polizist hat ihm Folter angedroht. Davon steht nichts in der Presse. Das wird sich jetzt ändern, *liebe* Frau Landau. Sie haben Eschburgs Intimleben in der Öffentlichkeit ausgebreitet. Sie haben dafür gesorgt, dass nie wieder jemand ein Bild von ihm kaufen wird. Aber das Wichtigste an diesem Verfahren verschweigen Sie. Und dann sitzen Sie hier mit übereinandergeschlagenen Beinen und finden mich arrogant?«

»Beruhigen Sie sich jetzt, Herr Biegler«, sagte der Vorsitzende. »Wir wissen nicht, wie die Informationen an die Öffentlichkeit gekommen sind.«

»Das müssen wir auch nicht wissen. Es ist im Ermittlungsverfahren passiert, und Frau Landau ist für das Ermittlungsverfahren verantwortlich. Der Beschuldigte steht in diesem Teil des Verfahrens unter besonderem Schutz des Staates. Aber im Moment sieht es so aus – egal, welche Zeitung Sie lesen –, als wäre er ohne jeden Zweifel schuldig. Wieso sollte ich mich also beruhigen? Die einseitige

Informationspolitik der Staatsanwaltschaft ist doch eine Unverschämtheit: Ich habe den ganzen Ordner mit Presseberichten gelesen – nicht ein einziges Wort von Folterdrohung. Ich kann das nicht fassen. Und dann, wenn wir schon über Versäumnisse reden: Die Anklage ist doch überhaupt nicht nachvollziehbar. Was soll dieses Verfahren? Ein Mord ohne Leiche ist schon eine kaum zu lösende Sache. Aber ein Mord, bei dem wir nicht einmal wissen, wer das Opfer sein soll? Das ist schlicht absurd«, sagte Biegler.

Der Vorsitzende lächelte. Biegler gefiel das nicht.

»Vielleicht müssen Sie doch nicht in den Beweisefachhandel, Frau Landau«, sagte der Vorsitzende und lächelte weiter. »Die Kammer hat den medizinischen Sachverständigen beauftragt, die Blutspuren noch einmal zu untersuchen. Es war ja nur eine Kleinigkeit, sie wurde wohl versehentlich vergessen. Die DNA Ihres Mandanten, Herr Biegler, wurde bisher nicht mit der DNA des mutmaßlichen Opfers verglichen. Gehört eigentlich zum Standard in der Gerichtsmedizin, kann aber wohl passieren, dass man es mal vergisst.«

»Ich verstehe kein Wort«, sagte Biegler. Auch Landau sah den Vorsitzenden an.

»Wir haben das nachholen lassen. Gestern Abend haben wir das Gutachten aus dem Institut bekommen.« Der Vorsitzende gab Landau und Biegler Kopien. »Die Identität der verschwundenen Frau ist zumindest teilweise geklärt. Ich darf das Gutachten kurz zusammenfassen: Die unbekannte Frau ist Eschburgs Halbschwester.«

# 5

Am nächsten Morgen ging Biegler als Erstes in die Haftanstalt. Er legte Eschburg das neue Gutachten des Gerichtsmediziners vor.

»Überrascht es Sie, dass es Ihre Halbschwester ist?«, fragte Biegler.

»Ich wundere mich nur, dass die Ermittler so lange gebraucht haben«, sagte Eschburg.

»Sie machen es mir nicht gerade einfach, Eschburg.«

»Tut mir leid.«

»Wollen oder können Sie mir nicht helfen? Ich weiß bisher noch nicht einmal, ob die Frau das Kind Ihrer Mutter oder Ihres Vaters ist. Der Sachverständige sagte, er bräuchte dazu die DNA der Eltern. Die Staatsanwaltschaft wird sicher zuerst in Richtung Ihrer Mutter ermitteln, schon weil es einfacher ist«, sagte Biegler.

Eschburg zuckte mit den Achseln.

Biegler wartete eine Weile, dann zog er sein Notiz-buch aus seinem Jackett. »Gut, fangen wir mit einer anderen Sache an. Ich habe ein weiteres Problem«, sagte Biegler. »Sie haben mir bei unserem letzten Gespräch von Ihrer Nachbarin in der Linienstraße erzählt.«

»Senja Finks«, sagte Eschburg.

»Meine Mitarbeiter haben das überprüft«, sagte Biegler. »Offenbar hat dort nie jemand gewohnt. Es gab keine Nachbarn.«

Eschburg wirkte überrascht. »Aber wir sind uns begegnet. Auf dem Dach in der Linienstraße, in ihrer Wohnung, im Krankenhaus.«

»Können Sie sich erinnern, wer diese Frau noch gesehen hat? An irgendjemanden?«

»Ich weiß nicht ... Nein, ich war immer allein mit ihr. Aber die Schlägerei ... ich war im Krankenhaus. Es muss Berichte des Krankenhauses geben.«

»Ja, gibt es. Die Polizei hat sie in Ihrer Wohnung gefunden.« Biegler zog einen Bericht auf hellgrü-nem Papier aus seiner Aktentasche. »Das ist der Ent-lassungsbericht aus dem Krankenhaus. Dort steht, Sie seien gestürzt und hätten sich dabei den Kopf aufgeschlagen, eine Platzwunde und ein Schädel-trauma.«

»Es war eine Schlägerei.«

»Das haben Sie mir erzählt, ich weiß. Ich habe daraufhin bei der Polizei nachsehen lassen. Dort gibt es keinen Vorgang.«

»Natürlich nicht. Ich habe nichts angezeigt, weil Finks mich darum gebeten hat. Aber warten Sie … Es muss doch einen alten Mietvertrag über die Wohnung geben.«

»Auch das haben meine Mitarbeiter nachgeprüft. Als letzter Eigentümer des Gebäudes in der Linienstraße war eine Kapitalgesellschaft in der Schweiz im Grundbuch eingetragen. Sie selbst haben das Haus von dieser Gesellschaft gekauft. Die Schweizer Gesellschaft wurde nach dem Verkauf aufgelöst. Der Treuhänder in Zürich hat keine Unterlagen mehr.«

»Senja Finks hat die Miete immer in bar in meinen Briefkasten gelegt. Es war ja nicht viel. Wir haben nie über Verträge geredet.«

Biegler stand auf und ging zum Fenster. Eschburg tat ihm leid, er brauchte Hilfe. »Sie müssen es begreifen: Es hat Senja Finks nie gegeben, die Wohnung stand leer.« Biegler sprach jetzt langsam. »Ich habe mit Ihrer Freundin Sofia telefoniert – auch sie hat diese Frau nie gesehen.«

Eschburg schüttelte den Kopf. Er sank in sich zusammen.

»Verteidigen Sie mich weiter?«, fragte Eschburg.

»Ich kann das Mandat so kurz vor der Hauptverhandlung nicht mehr niederlegen. Das Gericht würde mich als Pflichtverteidiger beiordnen. Aber

Sie müssen mir jetzt etwas über Ihre Schwester sagen. Wenn die Staatsanwaltschaft schneller ist als wir, können wir den Prozess verlieren«, sagte Biegler.

»Ja«, sagte Eschburg nach einer Weile, »das werde ich.«

Nach dem Haftbesuch fuhr Biegler mit dem Taxi zu dem Restaurant, in dem er fast immer zu Mittag aß. Es wurde von Libanesen betrieben, die sich als Italiener ausgaben. Trotz des Rauchverbots in Gaststätten gab es ein Hinterzimmer mit Kamin, in dem man noch rauchen durfte. Biegler saß dort alleine, er hatte sich mit Sofia verabredet.

Er bestellte einen Teller Spaghetti. Dann rief er in seiner Kanzlei an und bat die Sekretärin darum, die Presseerklärung, die er gestern geschrieben hatte, an die Nachrichtenagenturen und Zeitungen zu verschicken. Er wusste, dass bald überall die Folterfrage diskutiert werden würde.

Natürlich, dachte er, kommen Folter, Bedrohung und Täuschung eines Beschuldigten viel häufiger vor, als sie vor Gericht verhandelt werden. Zu allen Zeiten gab es Polizisten, die glaubten, sie müssten so handeln. Biegler war Landau dankbar für ihren Vermerk. Ohne dieses Papier könnte er die Folter nicht beweisen: Kein Gericht glaubt einem Angeklagten, der so etwas behauptet. Er verstand trotzdem nicht, warum sie es überhaupt zugelassen hatte.

Als Sofia das Restaurant betrat, stand er auf und winkte durch den Raum. Sie sah aus, wie Eschburg sie beschrieben hatte. Die anderen Gäste drehten sich nach ihr um. »Sie passt hier nicht her«, dachte er.

Sofia bestellte nur einen Tee. Sie sprachen über Demonstrationen und Baustellen und die Touristen in der Stadt. Dann sagte Biegler so beiläufig wie möglich: »Haben Sie gewusst, dass die verschwundene Frau Eschburgs Halbschwester ist?«

»Was?« Sie schrie fast.

»Die DNA wurde untersucht. Es gibt keinen Zweifel«, sagte er.

»Ich habe noch nicht einmal gewusst, dass er überhaupt eine Schwester hat«, sagte Sofia. »Er hat mich immer von seiner Familie ferngehalten.« Erst jetzt zog sie ihren Mantel aus und ließ ihn hinter sich über die Lehne ihres Stuhls fallen. »Was bedeutet das für den Prozess?«, fragte sie.

»Es ist auch verboten, seine Schwester umzubringen«, sagte Biegler und aß weiter.

Sofia schüttelte den Kopf. Biegler sah auf.

»Entschuldigen Sie bitte«, sagte er. »Es bedeutet, dass die Staatsanwaltschaft weiter ermittelt. Sie werden versuchen herauszubekommen, wer die Frau ist. Oder war.«

»Glauben Sie mir bitte, Sebastian ist kein Mörder.«

»Das sagen alle Freundinnen und die meisten Ehefrauen«, sagte Biegler.

»Haben Sie mal beobachtet, wie er Menschen begrüßt? Er streckt immer den Arm durch, um sie von sich wegzuhalten. Er kann niemanden anfassen«, sagte Sofia.

»Na ja«, sagte Biegler. Er überlegte, ob er noch einen Nachtisch nehmen sollte, obwohl Elly es verboten hatte.

»Ich glaube es einfach nicht«, sagte Sofia.

»Mit dem Glauben ist es so eine Sache. Ich hatte mal einen Mandanten, der seine Wohnung sechs Jahre lang nicht verlassen konnte. Er hatte Angst vor Menschen, auch er konnte niemanden anfassen. Aber er hatte eine Frau durch das Internet kennengelernt. Irgendwie hat er es geschafft, mit ihr ein Kind zu zeugen. Dann wurde er immer merkwürdiger. Er konnte nichts Rotes und Grünes mehr essen und er glaubte, die Parfümindustrie würde ihn verfolgen. Er sprach stundenlang mit Menschen, die nicht da waren und ernährte sich ausschließlich von Haferflocken. Natürlich trennte sich seine Freundin irgendwann von ihm. Aber sie war ein nettes Mädchen. Sie besuchte ihn jede Woche, kaufte für ihn ein und sorgte dafür, dass er nicht verwahrloste. Dann machte sie einen Fehler. Sie glaubte, er müsse das gemeinsame Kind einmal sehen. Er erwürgte sie. Danach wusch er ihre Haare, feilte ihre Finger- und Fußnägel und putzte ihre Zähne. Er schnitt mit einem Küchenmesser vierunddreißigmal in ihre Haut. In die Öffnungen steckte er Zettel. Auf alle schrieb er das gleiche Wort: *Kronkorken*. Der Mann wurde im Treppenhaus festgenommen, das Baby saß noch neben seiner Mutter in der Küche und schrie. Die Nachbarn hatten die Polizei gerufen, weil er Blut an den Händen hatte. Er erinnerte sich an nichts. Nur daran, dass er das Geländer angefasst hatte. Das war das Schlimmste für ihn: das Geländer. Er sagte, es sei so schmutzig gewesen.«

»Was hat dieses *Kronkorken* bedeutet?«, fragte Sofia.

»Keine Ahnung«, sagte Biegler.

Sofia starrte ihn an und schüttelte wieder den Kopf.

Biegler zuckte mit den Schultern und erzählte, was er von Eschburg erfahren hatte: Seine Halbschwester stamme aus Österreich, aus dem Dorf, in dem Eschburgs Vater seine Jagd hatte.

»Was werden Sie jetzt tun?«, fragte Sofia.

»Was soll ich schon machen? Ich muss natürlich nach Österreich, wieder in diese absurden Berge, es bleibt mir nichts anderes übrig. Offenbar bin ich jetzt so etwas wie Eschburgs Laufbursche. Keine besonders lustige Rolle, wenn Sie mich fragen«, sagte Biegler.

»Warum hat Sebastian Ihnen nicht gesagt, wo seine Schwester jetzt ist?«

»Er meinte, ich würde es verstehen, wenn ich dort bin. Seltsame Antwort, finden Sie nicht?«

»Sie passt zu ihm«, sagte Sofia.

»Ich kann Überraschungen nicht leiden. Elly hat einmal an meinem Geburtstag ...«

»... hat er gesagt, ob sie noch lebt?«, fragte Sofia.

»Nein.« Sofia gefiel ihm, sie ist ein freundlicher Mensch, dachte er. Er wollte etwas Versöhnliches sagen: »Aber er hat auch nicht gesagt, dass er sie umgebracht hat.« Es klang nicht so, wie er gehofft hatte.

»Kann ich mitkommen?«, fragte sie. »Ich will hier nicht warten, das ertrage ich nicht.«

Biegler überlegte, ob er sie anstrengend finden würde. »Nur wenn Sie versprechen, mir nicht dauernd zu erklären, warum er nicht der Mörder ist.«

»Sebastian hat es trotzdem nicht getan«, sagte Sofia. »Er kann das nicht. Ich kenne ihn.«

Biegler zuckte mit den Schultern und bestellte die Rechnung. Sie verabschiedeten sich auf der Straße. Er ging ein paar Schritte, dann drehte er sich noch einmal zu Sofia um und rief ihr nach.

»Sagen Sie, kennen Sie zufällig einen guten Baumsachverständigen?«

»Was?«, fragte Sofia.

»Ach, vergessen Sie's.«

Er stieg in ein Taxi und fuhr nach Hause.


Am Nachmittag kam Elly aus ihrer Praxis. Biegler stand in der offenen Garage. Er hatte sein Jackett ausgezogen. Die Ärmel seines Hemdes waren hochgekrempelt.

»Was tust du da?«, fragte Elly.

»Wieso haben wir eigentlich so viele Zollstöcke?«, fragte Biegler. Er hatte Schweißtropfen auf der Stirn. »Neun Zollstöcke, drei Hämmer und keine einzige Zange. Das ist doch merkwürdig.«

Er hielt zwei Kartons in den Händen.

»So schlimm?«, fragte sie.

Er hatte einen Ölfleck auf seiner Weste. Elly schob eine Holzkiste mit alten Lappen und Dosen zur Seite.

»Warte«, sagte er. Er ließ die Kartons fallen, holte aus seiner Hosentasche ein großes weißes Taschentuch und legte es auf die Bank. Sie setzte sich. Er stand vor ihr. Er kam sich vor wie ein Junge.

»Also, was ist los mit dir?«, fragte sie. »Immer wenn du die Garage aufräumst, hast du etwas.«

»Ich verstehe ihn einfach nicht«, sagte Biegler.

»Wen?«

»Eschburg, diesen Künstler. Ich verstehe nicht, was mit ihm los ist.«

Elly nahm eine Dose mit eingetrocknetem Lack aus der Holzkiste. »Weißt du noch, wie du für unseren Sohn die Seifenkiste gebaut hast?«, fragte sie.

»Es war sehr kompliziert, ich erinnere mich«, sagte Biegler.

»Auf dem Paket stand, Kinder ab zwölf Jahren könnten sie zusammenbauen«, sagte Elly.

»Ich bin mir immer noch sicher, dass das ein Druckfehler war«, sagte Biegler. »Es war keine besonders gute Seifenkiste.« Er setzte sich neben sie.

»Aber sie hatte eine schöne Farbe«, sagte Elly.

Er sah sie an. Auch heute, 28 Jahre später, verstand er noch nicht, warum sie sich für ihn entschieden hatte. Seine Sachen waren nie ganz sauber. Er kam sich plump neben ihr vor, schwer, ungeschickt.

»Ich glaube, ich werde alt, Elly«, sagte er.

»Du warst schon immer alt«, sagte Elly. Sie stellte die Dose wieder hin und wischte ihre Finger an einer Ecke seines Taschentuchs ab.

»Es war doch auch besser, als die Telefone noch an Kabeln hingen«, sagte Biegler.

»Was ist nun mit diesem Eschburg?«, fragte sie.

»Ich weiß es nicht. Der Mann ist wegen Mordes angeklagt. Er hat ein Geständnis abgelegt. Er sitzt in Untersuchungshaft und die Presse schreibt scheußliche Artikel über ihn. Aber das alles scheint ihm überhaupt nichts anhaben zu können. Die Polizisten sagen, er sei kalt. Ich glaube nicht, dass es so einfach ist. Er besitzt etwas, was ihn vor dem Gefängnis schützt.«

»Was meinst du damit?«

»Erinnerst du dich an den Nachbarn in unserer ersten Wohnung? Der alte Mann lebte ganz alleine. Ich habe ihn einmal besucht. Er saß in Anzug und Krawatte in seiner winzigen Küche. Er hatte den Tisch perfekt gedeckt: Tischtuch, Silberbesteck, Weinglas,

Serviette. Er trug sogar Manschettenknöpfe. Jeden Tag saß er alleine so in der Küche, obwohl ihm niemand dabei zusah. Er machte das, weil er nicht verkommen wollte. Dieser alte Mann mit den Manschettenknöpfen war wie Eschburg. Es umgab ihn etwas Unberührbares.«

»Du wirkst auch auf die meisten Menschen so«, sagte Elly nach einer Weile. »Als du ein junger Anwalt warst, hielten viele dich für einen Snob.«

»Einen Snob?«

»Ein wenig bist du es ja auch. An unserem ersten Abend sind wir ins Theater gegangen, obwohl du Theater nicht ausstehen kannst und keine Ahnung davon hast. Du wolltest mich nur beeindrucken. Mitten in dem Stück hast du geflüstert, Ödipus sei der erste Detektiv der Weltgeschichte – ein Mann ermittle gegen sich selbst, ohne es zu wissen. Dann hast du gesagt, das würden wir alle tun. Du warst dir völlig sicher. Das ist es vielleicht: *Sicherheit*. Mich hat das sehr angezogen.«

»Wirklich?« Er lächelte sie an. Sie sieht immer noch aus wie ein Mädchen, dachte er.

»Bilde dir bloß nichts ein, Biegler«, sagte sie.

**6**

Am nächsten Morgen flogen Biegler und Sofia mit
der ersten Maschine nach Salzburg. Biegler schimpfte
über die engen Sitze, er sei doch kein Huhn, sagte er.

Eine Frau auf Bieglers Nebensitz bestellte Curry-
wurst, Fleischstücke schwammen in brauner Soße,
15 Minuten bei 150 Grad im Konvektomaten regene-
riert. Die Stewardess legte ihre Hand auf Bieglers
Schulter und fragte, ob er einen süßen oder einen sal-
zigen Snack wolle. Biegler begann zu schimpfen. Der
Kabinenchef kam, er sagte, er sei der »Purser« des
Flugzeugs. Biegler erklärte ihm, der Begriff »Purser«
stamme aus der »christlichen Seefahrt« und bedeute
»Proviantmeister«, aber von Proviant könne in diesem Käfig überhaupt nicht die Rede sein.

Sofia versuchte Biegler zu beruhigen. Biegler
sagte, der Mann habe angefangen.

»Warum sind Sie eigentlich Anwalt geworden, Herr Biegler?«, fragte sie.

»Als Musiker tauge ich nichts«, sagte Biegler.

»Kommen Sie schon, das ist keine Antwort.«

»Die andere Antwort ist eine lange Geschichte, ich möchte Sie nicht langweilen.«

»Tun Sie nicht«, sagte Sofia.

»Na ja, am Ende ist es vielleicht doch nicht so kompliziert: Ich habe irgendwann begriffen, dass der Mensch nur sich selbst gehört. Nicht einem Gott, nicht einer Kirche, nicht einem Staat – nur sich selbst. Das ist seine Freiheit. Sie ist zerbrechlich, diese Freiheit, empfindlich und verwundbar. Nur das Recht kann sie schützen. Klinge ich jetzt zu pathetisch?«

»Ein wenig«, sagte Sofia.

»Ich glaube trotzdem daran.«

»Und was werden Sie machen, wenn das hier vorbei ist?«, fragte Sofia.

»Das nächste Mandat natürlich, wieso?«, sagte Biegler.

»Haben Sie nicht irgendwann genug? Stören Sie die dauernden Angriffe der Presse nicht?«

»Strafverteidigung ist kein Beliebtheitswettbewerb«, sagte Biegler.

»Aber wollen Sie nicht mal etwas anderes tun? In die Politik gehen zum Beispiel? Das machen berühmte Anwälte doch manchmal.«

»In die Politik?«

»Ja, die weltbewegenden Fragen …«

»… je weltbewegender eine Frage ist, desto weniger interessiert sie mich«, sagte Biegler.

In Salzburg mieteten sie einen Wagen und kamen zweieinhalb Stunden später in dem Bergdorf an. Sie hielten auf dem Marktplatz vor dem Gasthaus »Goldener Hirsch«. Biegler klingelte. Als niemand öffnete, gingen sie um das Haus herum. Das Gartentor stand offen. Biegler sah einen Mann mit Pockennarben und grauem Stoppelbart vor dem Haus sitzen. Er wollte ihm zuwinken, als ein Hund ihn ansprang. Biegler konnte nicht ausweichen. Er stürzte nach hinten, die Bretter des Lattenzauns fingen ihn auf, aber die Spitzen bohrten sich in seinen Rücken.

Der Mann mit den Pockennarben brüllte: »Aus, Lauser.«

Der Hund ließ von Biegler ab, schaute ihn an und wedelte mit dem Schwanz. Der Mann kam näher. Biegler ordnete seine Kleidung.

»Brav, Lauser, brav«, sagte der Mann. Der Hund legte sich auf den Boden.

»Ich finde Lauser nicht brav«, sagte Biegler. Sein Rücken tat weh.

»Er mag Sie«, sagte der Mann, »normalerweise beißt er sofort.« Der Mann schien ein Kompliment für Lauser zu erwarten.

Sofia beugte sich zu dem Hund und streichelte

ihn. »Was ist das für eine Rasse?«, fragte sie. »Er ist hübsch.«

»Hübsch? Sie finden ihn hübsch? Er ist ein Monster«, sagte Biegler.

»Berner Sennenhund«, sagte der Mann. »Der beste Hund für die Berge.«

»Wir suchen die Wirtin«, sagte Biegler. Er hatte immer noch Hundehaare im Gesicht.

»Sie ist in der Wirtschaft.«

»Wir haben geklingelt«, sagte Sofia.

»Die Klingel ist kaputt«, sagte der Mann. »Und wer sind Sie?«

»Biegler, Rechtsanwalt, Berlin. Und ich habe eine Hundehaarallergie.«

»Ja und?«, sagte der Mann. Er schaute Biegler offen an und grinste. Biegler grinste zurück. Eine Zeit lang standen sie sich so gegenüber. Endlich gab der Mann auf: »Warten Sie.« Er ging durch die Hintertür in die Wirtschaft. Die Füße hob er kaum beim Gehen.

Sofia half Biegler, die Haare von seinen Sachen zu entfernen. Der Hund lehnte sich gegen Bieglers Beine, er wedelte mit dem Schwanz. »Er sieht mich die ganze Zeit an«, sagte Biegler.

»Er mag Sie eben«, sagte Sofia.

»Er hat zu viele Haare«, sagte er.


Nach ein paar Minuten kam der Mann mit den Pockennarben wieder aus dem Haus und winkte sie herein. Sie gingen durch die Küche in die Gaststube. Die Tische waren aus heller Eiche, die Wände holzgetäfelt. Es roch nach frischem Brot und Bohnerwachs. Eine Frau kam auf sie zu, sie war Anfang vierzig, hellblaue Augen.

»Wer sind Sie?«, fragte sie.

»Biegler, ich bin Anwalt«, sagte Biegler.

»Ja?«

»Wir sind hier wegen Sebastian von Eschburg.«

Die Frau drehte sich um, sah zu dem Mann, der noch an der Tür stand, und hob das Kinn. Er schlurfte aus der Gaststube. Sie wartete, bis er verschwunden war.

»Setzen Sie sich bitte.« Sie zeigte auf einen Tisch. Sie selbst blieb stehen.

»War schon jemand von der Polizei da?«, fragte Biegler.

»Wieso von der Polizei?«, fragte die Frau.

»Oder der Presse?«

»Nein, auch nicht. Um Himmels willen, worum geht es denn? Ich habe von Sebastians Verhaftung gelesen, aber was hat das mit mir zu tun?«

»Entschuldigen Sie bitte«, sagte Biegler. »Könnte ich vielleicht einen Schluck Wasser haben?«

»Ja, natürlich.« Die Frau sah Sofia an. »Möchten Sie auch etwas trinken?«

»Auch ein Wasser bitte«, sagte Sofia.

Die Frau ging hinter die Theke und kam mit einer

Flasche und drei Gläsern zurück. Sie schenkte im Stehen ein und setzte sich dann.

»Also, was ist passiert?«, sagte sie.

»Es tut mir leid, aber ich muss das fragen«, sagte Biegler. »Sebastians Vater ist auch der Vater Ihrer Tochter, oder?« Er beobachtete sie. Ihre Oberlippe zitterte ein wenig, das war alles.

»Woher wissen Sie das?«, fragte sie.

Biegler wartete. Er stellte sich ihr Leben in diesem Dorf vor. Alleinerziehende Mutter zu sein war hier sicher nicht leicht. Ein Holzkreuz hing neben dem Ofen. Die Götter haben wir wegen der Einsamkeit erfunden, dachte er, aber genutzt hat das auch nichts.

»Ja, es stimmt«, sagte die Frau nach einer langen Pause. Dann begann sie zu erzählen. Es war ein Dammbruch. Sie erzählte, wie sie Sebastians Vater kennengelernt hatte. Über zwanzig Jahre sei das jetzt her, damals sei sie 19 gewesen. Ihr Vater, der Gastwirt im Dorf, habe sich einen neuen Wagen gekauft, ein Cabriolet. Sebastians Vater habe sich den Wagen geliehen und sie sei mitgefahren. Er habe das Dach geöffnet, obwohl es schon Herbst gewesen sei.

»Er ist wahnsinnig schnell gefahren«, sagte sie, »er hat gelacht und ist sehr albern gewesen. Er hatte ganz schmale Hände und weiche Haare, fast wie ein Mädchen. Wir sind zum See gefahren. Wir haben Radio gehört und auf das Wasser gesehen.«

»Und dann haben Sie nicht mehr auf das Wasser gesehen«, sagte Biegler.

Sie nickte. Sie sei sehr verliebt in ihn gewesen, sagte sie. Nach vier Jahren sei sie schwanger geworden. Sie habe das nicht geplant, es sei einfach passiert. Sie hätten sich ja immer nur gesehen, wenn er hier auf der Jagd war. Er habe sie nicht verlieren wollen, aber er habe auch seine Familie nicht verlassen können.

»Wie Männer so sind«, sagte sie. »Als mein Bauch größer wurde und alle es gesehen haben, hat er nur noch davon geredet, er hat nicht mehr ein noch aus gewusst. Er hat geweint und hin und her geredet und dann wieder geweint. Er hat sich ganz verheddert in seinen Gedanken.«

Dann habe er mit dem Trinken angefangen, Schnaps, hier unten in der Wirtschaft, die harten Sachen. Sie kenne Trinker, sie wisse, dass man ihnen nicht helfen könne.

»Für mich war's schon schlimm, aber ich glaube, für ihn war's noch schlimmer. Mein Vater ist ganz ruhig damit gewesen, er hat gesagt, das Kind kriegen wir schon groß«, sagte sie. »Irgendwann bin ich dann nicht mehr hoch ins Jagdhaus, weil ich gedacht habe, dass es besser so ist, bevor es ihn ganz zerreißt. Vielleicht ist das falsch gewesen, manchmal denke ich das jetzt. Als meine Tochter zur Welt gekommen ist, bin ich alleine gewesen.«

Die Frau trank ihr Glas aus. Sie hatte so plötzlich aufgehört zu sprechen, wie sie damit angefangen hatte. Ihre Oberlippe zitterte wieder. Biegler holte seine Zigarillos aus der Tasche.

»Darf ich?«, fragte er.

Sie schob einen Aschenbecher über den Tisch. Biegler zündete sich einen Zigarillo an. Sofia wollte etwas sagen, aber Biegler schüttelte den Kopf. Die Frau sah auf den Boden und beobachtete ihn dann beim Rauchen.

»Dann habe ich gehört, dass er sich umgebracht hat«, sagte sie endlich. »Erst als er schon unter der Erde gewesen ist, habe ich das gehört, weil ja niemand bei ihm zu Hause von mir gewusst hat. Die Leute haben gesagt, dass er sich den Kopf weggeschossen hat. Er hat seine Tochter nie gesehen.«

Ich muss weitermachen, dachte Biegler. »Sie haben doch dauernd das Foto Ihrer Tochter im Fernsehen gesehen. Warum haben Sie sich nicht bei der Polizei gemeldet?«

»Was für ein Foto?«, fragte die Frau.

Biegler zog aus der Akte das Foto, das Eschburg gemacht hatte.

Die Frau nahm das Bild. »Ja, das habe ich gesehen. Aber wer ist das?«

Sofia und Biegler starrten die Frau an. Sie lügt nicht, dachte Biegler. Er war wütend auf sich selbst. Irgendetwas hatte er übersehen.

»Ich dachte, das sei Ihre Tochter«, sagte er.

Sie schüttelte den Kopf. »Ich habe dieses Mädchen noch nie gesehen.« Sie sah es noch einmal an. »Der Mund sieht meiner Tochter ein bisschen ähnlich, sonst nichts.«

Der Mund sieht ihr ähnlich, dachte Biegler, vielleicht gibt es noch eine uneheliche Tochter?

»Sebastian wird vorgeworfen, dass er sie umgebracht hat«, sagte Sofia.

»Nein, Sebastian könnte niemandem etwas zuleide tun«, sagte die Frau.

»Kennen Sie ihn?«, fragte Sofia.

»Er war ein paarmal hier. Er hat das Jagdhaus von seinem Vater bekommen. Seine Mutter wollte es verkaufen, aber er hatte es ja noch zu Lebzeiten auf seinen Sohn übertragen.«

»War er mit Ihrer Tochter hier?«, fragte Biegler. Er hatte den Zigarillo ausgehen lassen. Das passierte ihm selten.

Die Frau nickte. »Warten Sie einen Moment«, sagte sie und verließ den Raum. Nach zwei Minuten kam sie zurück. Sie hatte einen Karton in der Hand. Sie setzte sich an den Tisch und öffnete ihn. Sofia nahm die Papiere heraus: Es waren Bilder von Eschburgs Ausstellungen, Zeitungsausschnitte, Interviews, Kritiken zu seinen Bildern.

»Der Karton gehört meiner Tochter«, sagte die Frau. »Sie hat schon alles über Sebastian gesammelt, bevor sie ihn das erste Mal gesehen hat. Er ist für sie das richtige Leben gewesen. Sie ist so wütend wegen ihres Vaters gewesen, obwohl sie ihn nie gesehen hat. Wie oft hat sie getobt und geschrien und alle hier verflucht. Ich kann sie verstehen. Ein Fremder kann sich ja nicht vorstellen, wie es ist, in so einem Dorf ohne Vater aufzuwachsen. Sie hat schon immer raus wollen.«

»Und dann?«, fragte Biegler.

»Sie hat Sebastian kurz nach ihrem 16. Geburtstag getroffen. Ich habe sie nicht davon abbringen können. Sie ist zu der Eröffnung seiner Ausstellung in Rom gefahren. Danach sind sie zweimal zusammen hier gewesen«, sagte die Frau. »Sie haben sich gut verstanden, sie sind sich auch sehr ähnlich. Bevor sie gegangen ist, hat sie gesagt, dass sie jetzt für immer ein Teil seiner Kunst sein wird.«

»Gegangen? Meinen Sie gestorben?«, fragte Sofia. Biegler nickte.

»Wie kommen Sie darauf?«, fragte die Frau. Sie sah die beiden an. »Nein, nach Schottland ist sie gegangen. Sebastian bezahlt ihr den Aufenthalt in einem Internat dort, es heißt Gordonstoun. Sie will später Kunstgeschichte studieren«, sagte sie.

»Was?« Biegler und Sofia sagten es gleichzeitig.

»Wann haben Sie das letzte Mal mit ihr gesprochen?«, fragte Biegler.

»Gestern«, sagte die Frau.

»Sie lebt also?«, fragte Sofia.

»Natürlich lebt sie.« Die Frau saß aufrecht am Tisch und starrte Sofia und Biegler an. »Ist ihr was passiert? Sie fragen so komisch.«

»Nein«, sagte Biegler. »Ihr ist nichts passiert.«

»Sagen Sie mir bitte, können Sie mir vielleicht erklären, was das mit der Kunst bedeuten soll? Meine Tochter weigert sich nämlich«, fragte die Frau.

»Ich habe keine Ahnung«, sagte Biegler. Er hob die Schultern und stand auf. »Es tut mir leid, dass wir das alles fragen mussten«, sagte er. Dann ging er in den Garten.

7

Biegler und Sofia übernachteten in den beiden Gäs-
tezimmern des Wirtshauses. Biegler schlief schlecht.
Er wachte zweimal auf, ohne zu wissen, wo er war.
Um fünf Uhr stand er auf. Er wollte lesen, aber das
einzige Buch war eine Bibel in der Schublade des
Nachtkastens.

Er zog sich an und ging hinaus auf den Marktplatz.
Er hatte nur einen dünnen Mantel mitgenommen.
Überall war Nebel, er sah kaum etwas. Er durch-
querte das Dorf, kehrte um, aber er fand den »Gol-
denen Hirschen« nicht mehr. Alle Häuser schienen
gleich auszusehen. Er wollte einen Zigarillo rau-
chen, aber sein Feuerzeug versagte. Er hörte einen
Traktor, die Scheinwerfer blendeten erst im letzten
Moment auf. Biegler musste zur Seite springen. Der
Bauer fluchte und zeigte ihm den Vogel. Dann hörte

er ein Baby schreien, das gequält wurde. Er rannte in Richtung der Schreie, stolperte über eine Türschwelle, rutschte aus und schlug hart mit der Schulter gegen eine Häuserwand. Es war eine Katze. Sie saß auf einem Fenstersims und fauchte ihn an. Biegler fluchte. Er hatte kalten Schweiß auf der Stirn, die Schulter tat ihm weh.

Endlich fand er den Eingang des Gasthauses. Innen war noch immer alles dunkel. Bis um sieben saß er in seinem Mantel auf dem Bett, ohne zu wissen, was er tun sollte. Dann hörte er Sofia auf dem Flur.

Sie tranken in der Gaststube einen Kaffee. Biegler sagte der Wirtin, dass sie noch in das Jagdhaus der Eschburgs wollten. Früher habe der Schlüssel dort unter einem Stein auf der Treppe gelegen, sagte sie, aber sie sei seit der Geburt ihrer Tochter nicht mehr in dem Haus gewesen. Biegler wollte bezahlen, aber die Wirtin lehnte es ab.

Sofia und Biegler fuhren mit dem Wagen einen schmalen Feldweg zum Jagdhaus hoch.

»Wer ist das verschwundene Mädchen auf dem Foto?«, fragte Biegler. »Wer hat bei der Polizei angerufen?«

»Sebastians Vater muss noch ein Kind gezeugt haben«, sagte Sofia.

»Glauben Sie das wirklich?«

»Nein«, sagte Sofia.

»Ich auch nicht«, sagte Biegler. »Wir sind keinen Schritt weiter.«

»Und wenn Sie Mutter und Tochter zu Gericht laden?«

»Dann würde ihr Blut untersucht werden. Wenn die DNA mit den Blutspuren in unserem Verfahren übereinstimmt, wäre es vermutlich ein Freispruch, obwohl alles andere noch unklar ist.«

»Und wenn nicht?«, fragte Sofia.

»Dann stehen wir wieder vor dem gleichen Problem. Zur Not mache ich es, ich lade beide. Aber es gefällt mir nicht. Bei Gericht stellt man keine Fragen, deren Antwort man nicht kennt«, sagte Biegler.

Es hatte zu regnen begonnen. Sie fanden den Schlüssel unter einem Stein auf der Eingangsstufe. Die Tür klemmte. Im Haus war der Strom abgestellt, die Fensterläden waren verschlossen. Biegler stolperte über einen Stuhl im Eingang. Er fand den Griff eines Fensters und öffnete es. Der Schieber für die Läden war rostig, Biegler schnitt sich in die Hand. Er wickelte sein Taschentuch um die Wunde. Nach und nach gingen sie durch die Räume und öffneten alle Fenster.

»Es ist furchtbar«, sagte Sofia.

Eschburgs Vater hatte sie direkt auf die Wände gezeichnet, es mussten Hunderttausende sein, das ganze Jagdhaus war mit ihnen ausgemalt: Auf jede

Wand, auf die Decken, die Stühle, die Tische und auf die Schränke waren Kreuze gezeichnet – sie waren winzig, schwarz, zwei Striche mit dünner Kohle. Es musste Wochen gedauert haben.

Nachdem sie alles gesehen hatten, gingen sie hinaus vor die Tür. Sie setzten sich auf die Holzbank unter das Dach. Lange Zeit hörten sie zu, wie der Regen auf das Dach klatschte.

»Es erinnert mich an Goya, Herr Biegler. Er hat das Gleiche getan. Er hat auf die Wände seines Landhauses seine Albträume gemalt, die ›schwarzen Bilder‹, Riesen, die Menschen fressen und ihre Köpfe abbeißen. Sie sind vielleicht das Beste, was er gemacht hat.«

Sofias Lippen waren blau. Biegler zog seinen Mantel aus und hängte ihn um ihre Schultern.

»Weiß man, warum?«, fragte er.

»Goya war taub geworden, er war ganz in sich eingeschlossen. Ich glaube, dass es der Verlust war, seine Einsamkeit.«

Biegler nickte. »Ich bin froh, dass Sie mitgekommen sind.«

Er zündete sich einen Zigarillo an, er schmeckte ihm nicht. »Wussten Sie, dass sich die meisten Selbstmörder in den Kopf schießen, wenn sie die Möglichkeit dazu haben? Nicht ins Herz – in den Kopf. Es ist das Entsetzen über sich selbst. Wir ertragen unsere eigene Schuld nicht. Wir schaffen es, jedem zu vergeben, unseren Feinden, den Verrätern, den Menschen, die uns betrügen. Nur bei uns selbst gelingt uns das nicht, wir können uns einfach nicht verzeihen. Daran scheitern wir: an uns selbst.«

»Immerhin wurde er geliebt von dieser Frau«, sagte Sofia nach einer Weile.

»Gerettet hat es ihn nicht«, sagte Biegler. Er streckte seine Beine aus. Die Abdrücke der Hundepfoten waren noch auf seiner Hose.

»Menschen können sich ändern«, sagte Sofia.

»Ach, kommen Sie, solche Sätze sagt James Stewart in seinen Filmen. Nein, Menschen ändern sich nicht, das gibt es nur in Romanen. Wir stehen nebeneinander, wir berühren uns kaum. Es gibt keine Entwicklung. Wir erleben etwas, vielleicht geht es gut, meistens geht es schief. Nur als Schauspieler werden wir besser. Wir lernen zu verbergen, wer wir wirklich sind«, sagte Biegler.

Sofia zog Bieglers Mantel enger um sich. »Vielleicht kannte Sebastian die Geschichte seines Vaters und die Geschichte von Goyas schwarzen Bildern. Vielleicht hat er deshalb das Foto ›Majas Männer‹ gemacht«, sagte sie.

»Vielleicht. Wann haben Sie sich eigentlich getrennt?«, fragte Biegler.

»Kurz nachdem er sie kennengelernt hat. Ich wusste ja nicht, dass es seine Schwester war. Er müsse allein sein, sagte er. Erst einen Tag vor seiner

Verhaftung rief er mich in Paris an, elf Monate nach der Trennung, elf Monate, in denen ich fast verrückt geworden bin. Er sagte, er brauche mich. Ich bin sofort nach Berlin gefahren, aber er saß schon im Gefängnis. Seitdem besuche ich ihn alle zwei Wochen in der Untersuchungshaft. Wir haben nicht über die Sache geredet, weil er das nicht wollte.« Sie legte ihre Hand auf Bieglers Arm. »Ich vermisse ihn so sehr. Es kommt mir vor, als hätte jemand die Vorhänge zugezogen und das Licht ausgemacht. Was hat das alles bloß für einen Sinn?«

»Die meisten Fragen bleiben am Ende offen.« Biegler sah auf die Uhr. »Sie sind übernächtigt. Setzen Sie sich bitte in den Wagen, dort ist es wärmer«, sagte er.

Er ging zurück ins Haus, klappte die Fensterläden zu und schloss die Tür ab. Undeutlich konnte er unten im Dorf das Dach des Gasthauses erkennen.

# 8

Die Hauptverhandlung sollte um neun Uhr beginnen. Vor dem Gericht, auf den Fluren und vor dem Verhandlungssaal standen Journalisten mit Kameras. Biegler hatte noch nie so viele Reporter bei einem Verfahren erlebt. Die beiden großen Nachrichtensendungen hatten am Vorabend das Verfahren angekündigt. Er sah Staatsanwältin Landau von Mikrofonen umringt, aber er konnte in dem Gedränge nicht hören, was sie sagte. Er hatte vor der Verhandlung fast jeder Zeitung ein Interview zu der Folter gegeben, er war sogar in eine Talkshow gegangen, obwohl es ihm zuwider war. Als er jetzt den Saal betrat, lehnte der Vorsitzende am Richtertisch und sprach mit seiner Protokollführerin. Er nickte Biegler zu.

»Wird ein anstrengender Tag«, sagte der Vorsitzende.

Biegler zuckte mit den Schultern. »Affentheater«, sagte er.

Ein paar Minuten nachdem Biegler sich gesetzt hatte, öffnete sich eine kleine Tür in der Holzvertäfelung und zwei Wachtmeister brachten Eschburg in den Saal. Er setzte sich neben Biegler, er wirkte gelassen.

Es dauerte fast dreißig Minuten, bis die Journalisten und Zuhörer im Saal Platz genommen hatten. Die Wachtmeister ermahnten mehrfach zur Ruhe. Als die Richter und Schöffen den Saal betraten, standen die Prozessbeteiligten und die Zuschauer auf.

»Die Sitzung der 14. Großen Strafkammer ist eröffnet«, sagte der Vorsitzende. »Setzen Sie sich bitte.«

Der Vorsitzende stellte die Anwesenheit der Prozessbeteiligten fest. Dann fragte er Eschburg nach seinem Namen, seinem Geburtsdatum und seiner letzten Wohnanschrift.

»Wenn es keine Anträge gibt, darf ich die Sitzungsvertreterin der Staatsanwaltschaft bitten, die Anklage zu verlesen«, sagte der Vorsitzende.

Wie fast immer in Schwurgerichtsverfahren war die Anklage kurz. Eschburg solle seine Halbschwester entführt und getötet haben. Ihre Leiche sei nicht aufgefunden worden. Mordmerkmale seien angesichts der besonderen Umstände nicht festzustellen.

Staatsanwältin Landau trug eine weiße Bluse und ein weißes Halstuch unter ihrer Robe. Sie ist eine hübsche Frau, dachte Biegler. Und dann ärgerte er sich über den ganz unpassenden Gedanken.

Der Vorsitzende erklärte, dass die Kammer die Anklage zur Hauptverhandlung zugelassen habe. Dann wandte er sich an Eschburg. Er belehrte ihn über sein Recht zu schweigen. Bis jetzt war alles Routine, die Verhandlung lief ab wie in anderen Verfahren auch.

»Nun haben wir hier eine außergewöhnliche Situation«, sagte der Vorsitzende. »Grundsätzlich ist es das Recht des Angeklagten, sich sofort zur Anklage zu äußern. In diesem Verfahren steht allerdings im Raum, dass dem Angeklagten vor seinem Geständnis von einem Polizeibeamten Folter angedroht wurde. Sollte sich das als wahr herausstellen, wäre sein Geständnis nicht verwertbar. Der Angeklagte könnte sich dann erneut entscheiden, wie er sich verhalten möchte – er könnte schweigen oder aussagen. Die Kammer hat sich daher entschlossen, *vor* einer eventuellen Aussage des Angeklagten den Polizisten zu hören. Sind die Prozessbeteiligten mit diesem Vorgehen einverstanden oder gibt es Widerspruch?«

Biegler und Landau nickten. Im Zuschauerraum wurde es bei der Erwähnung der Folter unruhig. Die Journalisten hatten Notizblöcke auf ihren Knien und schrieben mit.

Der Polizist, der Eschburg vernommen hatte, trug Anzug und Krawatte. Der Vorsitzende stellte ihm die üblichen Fragen, wie alt er sei, wo er wohne, ob er mit dem Angeklagten verwandt sei. Der Polizist antwortete schnell und routiniert. Er war es gewohnt, vor Gericht auszusagen. Der Vorsitzende belehrte den Polizisten, dass er die Wahrheit sagen müsse. Der Polizist nickte.

»Ich werde nun den Vermerk von Staatsanwältin Landau inhaltlich bekannt geben, er befindet sich auf Blatt 105 im vierten Band der Akten.« Der Vorsitzende wartete, bis die Protokollführerin das aufgeschrieben hatte. Dann sagte er: »Nach diesem Vermerk sollen Sie den Angeklagten in einer Vernehmung bedroht haben. Sie sollen gesagt haben, er sei ein Schwein und ein Vergewaltiger. Sie sollen ihm angedroht haben, ihn zu foltern. Der Angeklagte habe daraufhin ein Verbrechen gestanden. Er habe gesagt, er habe die junge Frau getötet und ihre Leiche verschwinden lassen. Das Geständnis sei nicht vollständig, weil die Staatsanwältin die Vernehmung unterbrochen habe. So weit der Vermerk.«

Der Vorsitzende lehnte sich ein wenig vor und sah den Polizisten direkt an.

»Herr Zeuge, ich möchte von Ihnen wissen, wie sich diese Vernehmung abgespielt hat. Bevor Sie antworten, muss ich Sie jedoch darauf hinweisen, dass Sie die Antwort auf solche Fragen verweigern dürfen, mit deren Beantwortung Sie sich selbst der Gefahr der Strafverfolgung aussetzen können. In diesem Fall dürfen Sie schweigen. Aber wenn Sie etwas sagen, muss es der Wahrheit entsprechen.«

Der Vorsitzende drehte sich zu der Protokollführerin und diktierte: »Belehrt nach §55 StPO.« Dann wandte er sich wieder an den Polizisten.

»Ich bin auch der Ansicht, dass Sie hier sogar auf *jede* Frage zu der Vernehmung schweigen dürfen. Sie könnten sich der Nötigung, der Körperverletzung und wegen anderer Delikte strafbar gemacht haben. Deshalb müssten Sie noch nicht einmal sagen, dass Sie den Angeklagten vernommen haben.«

»Das Recht schützt Sie«, sagte Biegler laut.

»Bitte, Herr Verteidiger, lassen Sie das«, sagte der Vorsitzende. Er wandte sich wieder an den Polizisten. »Frau Staatsanwältin Landau hat dem Gericht mitgeteilt, dass ein Ermittlungsverfahren gegen Sie eingeleitet wurde. Sie können einen Anwalt Ihrer Wahl auch zu dieser Vernehmung als Zeugenbeistand hinzuziehen. Haben Sie das alles genau verstanden?«

Der Polizist nickte.

»Nun, wie wollen Sie es halten?«, fragte der Vorsitzende.

»Ich werde mich nicht äußern«, sagte der Polizist. Seine Stimme war fest.

Staatsanwältin Landau sah von den Akten auf.

Natürlich hat er sich beraten lassen, dachte Biegler. Es gab in einer solchen Situation nur zwei Strategien: leugnen oder schweigen. Leugnen war nicht mehr möglich.

»Dann habe ich keine Fragen an den Zeugen«, sagte der Vorsitzende. »Hat einer der anderen Prozessbeteiligten eine Frage an den Zeugen oder kann er entlassen werden?«

Staatsanwältin Landau schüttelte den Kopf.

»Ich habe ein paar Fragen an den Zeugen«, sagte Biegler. Die Zuschauer wurden wieder unruhig.

»Ich bitte um Ruhe«, sagte der Vorsitzende. Er wandte sich an Biegler. Er klang ungeduldig, fast zynisch. »Natürlich, Herr Verteidiger, ich hätte mir das auch nicht anders vorstellen können. Also bitte.«

Biegler ging nicht auf den Vorwurf ein. Er hatte das Mandat übernommen, um diese eine Sache zu klären. Er musste es wenigstens versuchen. »Wie lange sind Sie schon Polizeibeamter?«, fragte er.

»Seit 36 Jahren«, sagte der Polizist.

»Und seit wann sind Sie bei der Mordkommission?«

»Seit zwölf Jahren.«

»In wie vielen Tötungsverbrechen haben Sie bisher ermittelt?« Biegler hatte den Polizisten in vielen Verfahren als Zeuge erlebt. Er kannte seine Arbeit.

»Das weiß ich nicht mehr, es waren sehr viele«, sagte der Polizist.

»In der ganzen Zeit, in der Sie jetzt Polizist sind, also in den vergangenen 36 Jahren: Wie oft wurden Ermittlungsverfahren gegen Sie geführt?«

»Noch nie.«

»Es gab also keine Verfahren gegen Sie wegen Bedrohung, Nötigung, Körperverletzung oder einer anderen Straftat?«

»Es ist das erste Mal.« Der Polizist sah kurz zu Landau. Sie reagierte nicht.

»Man kann also sagen, dass Sie ein sehr erfahrener Polizist sind, der die Gesetze kennt und noch nie mit ihnen in Konflikt gekommen ist.«

»Das kann man so sagen.«

»Sie haben kurz vor dieser Hauptverhandlung einer Boulevardzeitung ein Interview gegeben. Warten Sie bitte.« Biegler blätterte in der Akte, die auf seinem Tisch lag. »Hier habe ich es.« Er hielt ein Zeitungsblatt hoch.

»Ich kenne das Interview nicht«, sagte Landau.

»Dann besorgen Sie es sich«, sagte Biegler, »und unterbrechen Sie mich nicht mehr.«

Er wandte sich wieder an den Polizisten. »In diesem Interview sollen Sie Folgendes gesagt haben – ich zitiere: ›Stellen Sie sich vor, ein Terrorist versteckt irgendwo in Berlin eine Atombombe. Sie geht in einer Stunde hoch. Wir haben den Terroristen gefangen, aber wir wissen nicht, wo seine Bombe ist. Ich muss nun entscheiden. Soll ich ihn foltern und vier

Millionen Menschen retten? Oder soll ich meine Hände in den Schoß legen und nichts tun?‹ Trifft es zu, dass Sie das so gesagt haben?«

»Dazu möchte ich nichts sagen.«

»Wieso? Weil Sie sich damit selbst belasten könnten?«, fragte Biegler.

»Der Zeuge darf auch darauf die Auskunft verweigern«, sagte Landau.

»Wirklich?«, fragte Biegler und sah den Polizisten weiter an. »Wollen Sie tatsächlich nicht mehr dazu stehen, was Sie einer Zeitung mit Millionenauflage gesagt haben? Aus Angst vor Strafverfolgung? So wie die Verbrecher, die Sie sonst verfolgen?«

»Herr Vorsitzender, ich beantrage, dem Verteidiger das Wort zu entziehen. Er bedrängt den Zeugen«, sagte Landau.

»Der Zeuge ist erfahren genug, um sich selbst zu entscheiden«, sagte der Vorsitzende. »Ich habe ihn belehrt. Er weiß, dass er nicht antworten muss.«

Biegler sah den Polizisten immer noch an. Der Polizist drehte sich auf dem Stuhl zu ihm. Na also, ein erster Schritt, dachte Biegler.

»Noch einmal: Wollen Sie uns nicht etwas zu diesem Interview sagen? Es geht noch gar nicht um die Vernehmung des Angeklagten. Nur um Ihre Einstellung.«

Der Polizist öffnete die beiden Knöpfe seiner Anzugjacke. »Na gut«, sagte er. Er atmete laut aus.

»Ich würde die Aussage aus Terroristen herausholen. Wenn es nicht anders geht, auch mit Folter. Meine Aufgabe ist es, die Bürger zu schützen. Dazu stehe ich.«

Ein Zuhörer applaudierte. Der Vorsitzende sah ihn an. »Wenn sich das noch einmal wiederholt, lasse ich Sie aus dem Saal entfernen«, sagte er.

»Und was«, fuhr Biegler fort, »würden Sie machen, wenn Ihr Gefangener trotzdem nichts sagt? Er ist ja ein Terrorist, er wurde ausgebildet, Folter zu überstehen. Er lacht Sie aus. Nun wissen Sie aber, dass der Mann eine vierzehnjährige Tochter hat. Sie sind sich sicher, dass er reden wird, wenn Sie die Tochter vor seinen Augen foltern. Machen Sie auch das?«

»Nein, ich würde das nicht tun. Die Tochter ist unschuldig.«

»Das sind die anderen Menschen in dieser Stadt doch auch«, sagte Biegler. »Sie könnten vier Millionen dieser unschuldigen Leben retten. Ein wenig Folter gegen die Rettung von ganz Berlin. Das ist doch ein fairer Deal.«

»Ich …«

»Sie denken also: Das Mädchen kann nichts für seinen Vater. Sie ist unschuldig, ich darf sie nicht foltern.«

»Richtig«, sagte der Polizist.

»Unschuldige darf man also nie foltern?«

»So ist es.«

»Aber was ist mit Ihrem Terroristen? Woher wissen Sie, dass er der Schuldige ist? Einfach so? Aufgrund von Indizien? Ihrem Gefühl nach?«, sagte Biegler.

»Es war nur ein Beispiel«, sagte der Polizist.

»Ein Beispiel für Jurastudenten im ersten Semester. Ich frage Sie aber als erfahrenen Polizeibeamten. Glauben Sie denn, es kommt ein Terrorist auf die Polizeiwache und sagt: Hallo, wie geht's euch? Ich habe übrigens gerade eine kleine Atombombe in Berlin versteckt, sie geht in einer Stunde hoch, aber ich sage euch nicht, wo.«

»Unsinn«, sagte der Polizist. »In meinem Beispiel hätten wir den Terroristen über Monate beobachtet. Wir würden wissen, dass er ein Terrorist ist, dass er schuldig ist.«

»Schuldfeststellung durch Beobachtung, ich verstehe. Und woher wissen Sie, dass er eine Bombe versteckt hat? Haben Sie das auch beobachtet? Und falls ja, wieso haben Sie ihn dann nicht festgenommen? Wieso haben Sie sein Handy nicht überwacht? Wieso kennen Sie nicht seine Kontaktleute? Wieso haben Sie seinen Laptop nicht ausgewertet? Anders gesagt: Ist es nicht immer so, dass es viel mehr gibt als nur diese eine nackte Information: Ein Terrorist hat eine tickende Bombe versteckt?«, fragte Biegler.

»Das Beispiel sollte nur klarmachen, in welcher Ausnahmesituation wir sein können«, sagte der Polizist. »Ich wollte damit sagen, dass es notwendig sein kann, zu härteren Mitteln zu greifen.«

»Aber Sie würden zugeben, dass es einen solchen Fall in der Wirklichkeit nicht gibt.«

»Wie gesagt: Es ist nur ein Beispiel«, sagte der Polizist.

»Gut. Wenn ich Sie richtig verstehe, dann würden Sie den Terroristen foltern, um die Wahrheit von ihm zu erfahren.«

»Um die Bombe entschärfen zu können«, sagte der Polizist.

»Glauben Sie, dass alle Hexen mit dem Teufel geschlafen haben?«, fragte Biegler.

»Wie bitte?«

»Ich meine, ist Ihnen bewusst, dass die Folter auch deshalb abgeschafft wurde, weil Gefangene unter Schmerzen alles gestehen? Sie sagen nicht die Wahrheit, sondern das, was der Folterknecht hören will. Während der Inquisition haben alle Hexen mit dem Teufel geschlafen – das haben sie jedenfalls behauptet, wenn sie lange genug gequält wurden. Selbst der Papst hat irgendwann eingesehen, dass es nichts bringt. In Ihrem Beispiel der tickenden Bombe können Sie doch gar nicht rechtzeitig überprüfen, ob der Terrorist die Wahrheit sagt.«

»Vielleicht nicht. Aber vielleicht kann ich die Bombe finden und entschärfen«, sagte der Polizist.

»Sie foltern also, weil es ›vielleicht‹ hilft?«

»Ich ... ich muss es tun, um die Menschen zu retten.«

»Ich verstehe«, sagte Biegler.

»In meinem Beispiel wissen wir ja, dass er die Bombe versteckt hat«, sagte der Polizist.

»Das ist ja das Schöne an Ihrem Beispiel. Sie wissen alles. Auch dass er unter Folter die Wahrheit sagen wird ... Sie haben gesagt, Ihnen seien als erfahrenem Polizisten die Gesetze vertraut.«

»Ja.«

»Auch unsere Verfassung?«

»Natürlich«, sagte der Polizist.

»Sie wissen also, dass jeder – auch ein Entführer – unter dem Schutz dieser Verfassung steht. Ist Ihnen klar, dass Sie seine Würde durch die Folter verletzen?«

»Und was ist mit der Würde des Opfers?«, fragte der Polizist.

»Ich glaube, ich verstehe, was Sie meinen«, sagte Biegler. »Sie treffen eine Entscheidung. Sie sagen sich zum Beispiel, ein entführtes Kind ist unschuldig, der Entführer ist schuldig. Er hat seine Würde verspielt und ich darf ihn foltern.«

»Zur Rettung des Kindes. Es wäre eine ›Rettungsfolter‹«, sagte der Polizist.

»›Rettungsfolter‹? Was für ein hübscher Begriff«, sagte Biegler. »Das ist dann einfach eine Art härtere Vernehmung für ein edles Ziel?«

»Ja.«

»Vielleicht unter ärztlicher Aufsicht?«

»Kann ich mir vorstellen, ja«, sagte der Polizist.

»Lange nachdem die Folter in diesem Land abgeschafft wurde, haben die Nazis sie wieder eingeführt. Sie haben sich auch einen besonderen Ausdruck dafür ausgedacht. Kennen Sie ihn?«

»Nein.«

»Sie nannten es ›verschärfte Vernehmungsmethoden‹. Klingt doch fast so gut wie ›Rettungsfolter‹, finden Sie nicht? Aber kommen wir noch einmal zurück zu unserem Beispiel. Wonach treffen Sie Ihre Entscheidung?«

»Welche Entscheidung?«, fragte der Polizist.

»Sie müssen sich doch entscheiden, wen Sie foltern«, sagte Biegler.

»Das sagte ich doch schon: Das Kind ist unschuldig, der Entführer schuldig«, sagte der Polizist.

»Sie foltern also jeden Schuldigen?«

»Nein, natürlich nur in extremen Ausnahmen«, sagte der Polizist.

»Stellen Sie sich vor, der Täter sagt Ihnen: Ja, ich habe das Mädchen entführt. Aber sie ist in einem hübschen Haus, sie wird mit Essen versorgt, es ist warm dort und sie hat genügend Bücher und Spiele. Was machen Sie dann? Foltern Sie?«

»Ich … ich …«

»Also«, sagte Biegler, »wo ziehen Sie die Grenze?

Wann dürfen Sie foltern? Nur wenn ein zehnjähriges Mädchen entführt wird? Oder dürfen Sie auch foltern, wenn das Opfer ein fünfzigjähriger Obdachloser am Rande der Gesellschaft ist? Wenn der Bundespräsident entführt wird, tun Sie es. Aber wenn ein bekannter Vergewaltiger das Opfer ist, dann lieber doch nicht? Wer bestimmt in Ihrer Welt, wann gefoltert werden darf? Sie selbst? Als eine Art Richter, Staatsanwalt, Verteidiger und Vollstrecker in einer Person?«

»Jetzt reicht es«, sagte Staatsanwältin Landau.

»Ich verbitte mir das«, rief Biegler. »Das ist jetzt schon das zweite Mal. Wenn Sie wollen, dass mir das Gericht das Wort entzieht, stellen Sie einen Antrag. Wir sind in einer Hauptverhandlung und nicht in einer Talkshow, wo jeder mal was sagen darf. Ich habe jetzt das Fragerecht, und Sie schweigen.« Er beruhigte sich wieder und sagte leiser: »Lassen Sie uns doch bitte versuchen, den Zeugen zu verstehen.«

»Ich lasse die Frage zu. Mich interessiert das auch«, sagte der Vorsitzende.

Der Polizist dachte kurz nach. Dann sagte er: »Ich bin kein Jurist.«

»Es ist alles andere als eine juristische Frage«, sagte Biegler.

»Ich würde einen Richter fragen«, sagte der Polizist.

»Das ist immer eine gute Antwort. Aber wieso haben Sie dann nicht in unserem Fall einen Ermittlungsrichter gefragt, ob Sie foltern dürfen?«

»Es hätte viel zu lange gedauert«, sagte er.

»Blödsinn. So einen Beschluss hätten Sie innerhalb von zehn Minuten bekommen«, sagte Biegler. »Ich sage Ihnen, weshalb Sie keinen Richter gefragt haben: Sie wussten, wie er entscheiden würde. Er hätte Sie aus dem Zimmer geworfen. Nein, Sie selbst wollten diese Entscheidung treffen, ganz allein, für sich. Sie wollten selbst der Richter über den Angeklagten sein.«

Der Polizist wurde rot. Er sagte laut: »Ja? Wollte ich das? Sie sitzen hier in Ihrem warmen Gerichtssaal. Sie können es sich leisten, so fein von der Würde des Menschen zu reden. Aber wir sind da draußen. Wir sollen Ihr Leben und das Leben Ihrer Familie beschützen. Wenn es gefährlich wird, dann rufen Sie nach uns. Dann sollen wir alles tun. Aber hier besitzen Sie die Frechheit, mich mit den Nazis zu vergleichen. Denken Sie doch einmal nach: Was wäre, wenn ich das Leben der jungen Frau hätte retten können?« Er starrte Biegler mit offenem Mund an.

»Er ist ein anständiger Mann«, dachte Biegler. »Er macht alles falsch, aber ich würde ihm meine Familie anvertrauen.« Biegler wartete. Es wurde still im Gerichtssaal, selbst der Wachtmeister hatte aufgehört, auf seinem Stuhl zu wippen. Dann sagte Biegler leise: »Ich bin Anwalt, ich beantworte keine Fragen, ich stelle sie. So sieht das unsere Prozessordnung vor. Aber ich kann eine Ausnahme machen, wenn das Gericht es erlaubt.«

Der Vorsitzende nickte.

»Wenn Sie die junge Frau gerettet hätten, wären Sie ein Held«, sagte Biegler.

»Ein Held?« Der Polizist klang verunsichert.

Biegler sprach leise weiter: »Ja, ein tragischer Held. Sie haben sich gegen unsere Rechtsordnung gestellt, gegen alles, woran ich glaube. Sie haben die Würde eines Menschen verletzt. Diese Würde kann ein Mensch nicht erwerben und er kann sie nicht verlieren. Der Mensch wird durch Ihre Folter zu einem bloßen Objekt gemacht, er dient nur noch dazu, etwas aus ihm herauszubekommen. Deshalb müssten Sie – wenn es nach mir ginge – für das, was Sie getan haben, hart bestraft werden. Ich würde Ihnen die Pension entziehen und Sie aus dem Dienst entlassen. Aber ich würde Sie bewundern, weil Sie Ihre Zukunft für das Leben der jungen Frau geopfert haben. Die Folgen für Sie müssten fürchterlich sein. Helden werden bewundert. Aber sie gehen unter.«

»Und wie soll ich sonst ein Geständnis bekommen? Was ist die beste Vernehmungsmethode?« Der Polizist sprach leise, er starrte vor sich auf den Zeugentisch.

»Höflichkeit«, sagte Biegler. »Sie können jeden Kriegsgefangenen fragen. Er spricht nie über die körperlichen Qualen. Er spricht von der Einsamkeit, der Verlassenheit. Er will jemanden, der mit ihm spricht – als Mensch.«

»Und wenn ich keine Antworten bekomme?«, fragte der Polizist.

»Dann bekommen Sie keine«, sagte Biegler.

Der Polizist hob den Kopf und sah Biegler an. »Vielleicht haben Sie recht«, sagte er, »ich würde es trotzdem wieder tun.«

Erneut wurde es laut im Gerichtssaal. Manche Fragen werden besser nie gestellt, dachte Biegler.

Der Polizist fasste in sein Hemd und lockerte die Krawatte. Biegler sah, dass sein Kragen feucht vom Schweiß geworden war.

»Gibt es noch Fragen an den Zeugen? Nein? Dann sind Sie mit Dank entlassen«, sagte der Vorsitzende.

Der Polizeibeamte stand auf, schüttelte den Kopf und verließ den Gerichtssaal.

»So, wir müssen jetzt über die Frage der Unverwertbarkeit des Geständnisses beraten«, sagte der Vorsitzende. »Wir werden Zeit dafür brauchen. Wir sehen uns am Donnerstag um neun Uhr wieder, die Prozessbeteiligten sind alle bereits geladen. Die Hauptverhandlung ist unterbrochen.«

»Danke«, sagte Eschburg zu Biegler, als sie alleine waren.

»Es ist noch nicht zu Ende. In der nächsten Verhandlung wird der Vorsitzende Sie fragen, ob Sie sich äußern wollen. Wir sollten das heute Nachmittag in der Haftanstalt besprechen. Aber vor allem müssen wir jetzt Ihre Schwester laden«, sagte Biegler.

»Nein«, sagte Eschburg und schüttelte den Kopf. Er gab Biegler einen zusammengefalteten Zettel. »Bitte gehen Sie dorthin. Sie werden einen Umschlag bekommen. Sehen Sie sich das alles an, und dann kommen Sie bitte wieder zu mir. Nur das wird meine Äußerung in diesem Prozess sein. Meine Schwester brauchen wir nicht.«

Biegler nahm den Zettel und faltete ihn auseinander. »Das ist die Adresse eines Notars«, sagte er.

Eschburg nickte.

»Noch ein Auftrag für den Laufburschen?«, fragte Biegler.

Eschburg lächelte.

»Übertreiben Sie es nicht, Eschburg«, sagte Biegler. Er verließ den Saal. Auf dem Flur beantwortete er die Fragen der Journalisten. Aber die ganze Zeit über dachte er nur an den Zettel in seiner Tasche.

**9**

Vom Gericht aus fuhr Biegler sofort zu der Adresse, die ihm Eschburg gegeben hatte. Der Notar begrüßte ihn freundlich, sie kannten sich aus dem Studium. Er übergab Biegler einen großen versiegelten Briefumschlag und wünschte ihm Glück.

Biegler riss den Umschlag noch auf der Straße auf. Er enthielt nur einen USB-Stick und ein Schriftstück. Biegler fuhr mit dem Taxi in seine Kanzlei und steckte den Stick in seinen Laptop. Eine halbe Stunde später kam Bieglers Sekretärin in sein Büro. Sie sah ihn hinter dem aufgeklappten Laptop sitzen. Und, ganz gegen seine Gewohnheit, lachte er.

Biegler bat seine Sekretärin, einen großen Fernseher zu kaufen und ihn in das Gericht schaffen zu lassen. Er telefonierte mit dem Vorsitzenden und erklärte ihm, dass Eschburg den Bildschirm für seine Einlassung brauche. Nach einigem Hin und Her stimmte der Vorsitzende zu. Er bat Biegler, Staatsanwältin Landau zu informieren.

Biegler fuhr ins Gericht, zog im Anwaltszimmer zwei Kaffee aus dem Automaten und ging zu dem Dienstzimmer von Staatsanwältin Landau.

»Ich habe Kaffee in Plastikbechern mitgebracht«, sagte er.

»Klingt toll«, sagte sie.

»Seien Sie nicht sarkastisch«, antwortete Biegler. Er setzte sich auf den Besucherstuhl. Aus dem Becher schwappte Kaffee auf den Ärmel seines Jacketts.

»Das geht wieder raus«, sagte sie. »Einfach mit Wasser.«

»Gut«, sagte er.

»Sie dürfen es nur nicht in den Stoff reiben.«

Sie schwiegen. Biegler wusste, dass es jetzt kommen würde. Es war ihm unangenehm.

»Ich war beeindruckt, wie Sie den Polizisten befragt haben«, sagte Landau.

»Das ist ganz überflüssig«, sagte Biegler.

»Nein«, sagte sie. »Ich habe einen Fehler gemacht, als ich den Polizisten mit Ihrem Mandanten allein ließ.« Sie sprach leise.

»In Ordnung. Ich habe mit dem Vorsitzenden gesprochen. Nach der Aussage des Polizisten geht das

Gericht jetzt davon aus, dass Ihr Vermerk stimmt. Der Vorsitzende wird Sie also nicht als Zeugin hören.«

»Danke«, sagte Landau. Sie schien erleichtert zu sein.

»Na gut. Was wird Ihr Mandant in der nächsten Hauptverhandlung sagen?«, fragte sie.

»Lassen Sie sich überraschen«, sagte Biegler.

»Sie machen aus allem ein Theaterstück«, sagte Landau.

»Vielleicht haben Sie damit sogar ein wenig recht. Aber das liegt daran, dass jedes Verfahren ohnehin ein Theaterstück ist, finden Sie nicht?«, sagte Biegler. »Wir spielen mit Worten, Anträgen, Zeugen und Beweisen die Tat nach. Unsere Vorfahren haben gedacht, das Böse würde so seine Macht über uns verlieren. Das war nicht so dumm.«

»Ich glaube immer noch, dass Eschburg die Frau umgebracht hat«, sagte Landau. »Eine andere Erklärung gibt es nicht.«

»Es gibt immer eine andere Erklärung«, sagte Biegler.

»Sie machen sich etwas vor, Herr Biegler.«

»Ja? Und wenn schon, warum nicht?«, sagte Biegler.

»Warum nicht? Weil es natürlich nie gut ist, sich etwas vorzumachen.«

»Unsinn«, sagte Biegler. »Wenn ich ins Bett gehe,

tue ich doch auch so, als würde ich schlafen, bis ich eingeschlafen bin.«

Landau lachte. »Bitte im Ernst, Herr Biegler: Haben Sie gar keine Angst?«

»Wie meinen Sie das?«, fragte Biegler.

»Was wäre, wenn das Geständnis Ihres Mandanten stimmt? Was, wenn der Polizist doch recht hatte?«

»Der Polizist hat es versaut. Die anderen Beweise reichen nicht«, sagte Biegler. »So einfach ist das. Ende der Geschichte.«

»Wie können Sie nur so kalt sein?«, fragte Landau.

»Glauben Sie das wirklich?«, fragte Biegler.

»Ja, das glaube ich.«

Biegler schloss die Augen. »Es geht nicht um die Frage, ob ich kalt bin, es geht auch nicht um die Verbrecher, mit denen wir uns hier jeden Tag beschäftigen. Es geht nur darum, dass Sie und ich und die Richter ihre Sache ordentlich machen. Wenn Sie das immer noch nicht begriffen haben, sind Sie hier falsch.«

Landau wurde rot. Sie sagte nichts.

»Eschburg wird sich in der nächsten Hauptverhandlung erklären«, sagte Biegler. »Er braucht dazu einen Fernseher. Wir haben einen Flachbildschirm besorgt, der im Gericht aufgestellt wird. Der Vorsitzende hat zugestimmt. Ich wollte Ihnen das nur sagen.« Er stand auf.

Biegler gab ihr die Hand. Er hatte nicht so schroff sein wollen. »Wissen Sie, ich glaube bei jedem neuen

Fall, ich könnte einmal alles richtig machen. Es klappt nie. Bis morgen also«, sagte er.

»Bis morgen«, sagte Landau.

Er ging über die große Treppe zum Ausgang. Der Wachtmeister grüßte und wünschte einen schönen Abend. Biegler grüßte zurück. Er sah sich selbst verschwommen in den Scheiben der alten Türen: ein etwas zu fülliger Mann mit Aktentasche und Hut. Die Türen schlossen sich hinter ihm.

Er nahm ein Taxi zum Savignyplatz, ging in sein Lieblingscafé, bestellte einen doppelten Espresso zum Mitnehmen und setzte sich nach draußen, um rauchen zu können. Die Akte legte er auf seine Knie. Auf der Litfaßsäule neben dem Café wurde eine Fotoausstellung angekündigt: »Die europäische Fotografie des 20. Jahrhunderts«. Auf dem Foto war eine nackte Frau vor dunklem Hintergrund. Biegler schloss die Augen.

Plötzlich sagte er: »Ich bin ein Idiot.« Er war zu laut, andere Gäste drehten sich zu ihm um.

Er suchte sein Telefon und rief seine Sekretärin an. »Sie haben mir doch mal gezeigt, dass Ihr Computer auch übersetzen kann«, sagte er. Er musste einen Moment warten, bis die Sekretärin die Seite aufgerufen hatte. »Bitte sehen Sie doch einmal nach, ob das ukrainische Wort ›Finks‹ auf Deutsch etwas bedeutet.« Er hörte sie tippen.

»Nein, nichts.«

»Und Senja Finks?«

»Auch nichts.«

»Dieses Internet taugt nichts, habe ich immer gewusst. Bleiben Sie bitte dran«, sagte Biegler. Er klemmte das Telefon zwischen Schulter und Ohr. Er zog sein Notizbuch aus dem Mantel, schlug es auf und strich mit seinem Bleistift darin herum. »Geben Sie mal nur den ersten Buchstaben des Vornamens und den Nachnamen ein. Also: ›S F I N K S‹?« Biegler buchstabierte das Wort.

»Treffer. Die Übersetzung lautet *Sphinx*. Augenblick, ja, hier steht es: Die Sphinx ist eine Frau mit geflügeltem Löwenkörper, die jeden verschlingt, der ihr Rätsel nicht löst.«

»Ich weiß, wer das ist«, sagte Biegler und legte auf.

Er trank seinen Kaffee aus, stand auf und bezahlte. Auf dem Bürgersteig summte er Oscar Peterson: »On a Clear Day«. Plötzlich blieb er stehen und stellte die Aktentasche auf den Boden. Er bewegte sein Becken, drehte die Fußspitzen, winkelte die Arme an und machte vier, fünf Twistschritte. Konrad Biegler tanzte.

# 10

»Guten Morgen, meine Damen und Herren«, sagte
der Vorsitzende. »Die Sitzung der 14. Großen Strafkammer des Landgerichts ist eröffnet. Wir setzen die
Hauptverhandlung fort.« Der Vorsitzende sah nacheinander Eschburg, Biegler und Landau an.

»Ist inzwischen etwas über die Halbschwester des
Angeklagten bekannt geworden?«, fragte er.

Staatsanwältin Landau räusperte sich: »Ich habe
hier einen Bericht der Kriminalpolizei Freiburg.
Nach dem Personenstandsregister war die Mutter
des Angeklagten zweimal verheiratet. Aus der ersten Ehe ging nur ein Kind hervor, nämlich der
Angeklagte selbst. Die zweite Ehe blieb kinderlos.
Die Mutter des Angeklagten ist heute querschnitts-
gelähmt. Sie hatte vor vier Jahren einen Reitun-
fall.«

»Also stammt die Halbschwester vom Vater des Angeklagten«, sagte der Vorsitzende.

»Ja«, sagte Landau.

»Und?«, fragte der Vorsitzende.

»Wir konnten nichts ermitteln«, sagte Landau.

»Haben Sie andere Beweise, von denen wir noch nichts wissen?«, fragte der Vorsitzende.

Landau schüttelte den Kopf.

»Und gibt es noch weitere Spuren, die verfolgt werden?«, fragte der Vorsitzende.

»Nein, wir haben keine Ermittlungsansätze mehr.«

»Herr Biegler? Von Ihnen etwas?«, fragte der Vorsitzende.

Biegler schüttelte den Kopf.

»Dann verkünde ich jetzt folgenden Beschluss des Schwurgerichts: Das Geständnis des Angeklagten ist nicht verwertbar.«

Im Zuschauerraum wurde es laut. Ein Mann schrie: »Mörder.« Der Vorsitzende ließ ihn aus dem Saal entfernen. Danach las er die Begründung für den Beschluss vor. Menschlich sei das Verhalten des ermittelnden Polizeibeamten verständlich, sagte er, aber die Strafprozessordnung kenne für diesen Verstoß nur eine Folge: Das Geständnis des Angeklagten sei nicht verwertbar. Eschburg werde so gestellt, als hätte er nie eine Straftat gestanden. Es war ein langer Beschluss. Die Richter hatten ihn für das Revisionsgericht geschrieben, sie wollten ihre Entscheidung absichern. Als der Vorsitzende fertig war, sah er Eschburg an.

»Haben Sie unseren Beschluss verstanden?«, fragte der Vorsitzende. »Wollen Sie sich noch einmal mit Ihrem Verteidiger besprechen?«

»Ich habe alles verstanden«, sagte Eschburg.

»Gut. Dann werden Sie nun also belehrt, dass Sie hier keine Aussage machen müssen. Ihr früheres Geständnis wird nicht verwertet. Falls Sie schweigen, kann auch dieses Schweigen nicht gegen Sie verwandt werden. Haben Sie das verstanden?«

»Ja«, sagte Eschburg.

Der Vorsitzende wandte sich an die Protokollführerin. »Nehmen Sie bitte auf, dass der Angeklagte *qualifiziert* belehrt wurde.« Er wandte sich an Biegler. »Wenn ich Sie richtig verstanden habe, möchte Ihr Mandant heute eine Erklärung abgeben.«

Biegler nickte.

»Bitte sehr«, sagte der Vorsitzende.

Eschburg stand auf.

»Sie können sitzen bleiben«, sagte der Vorsitzende.

»Danke, ich stehe lieber.« Er richtete das Mikrofon, das vor ihm stand. Dann zog er aus der Innentasche seiner Jacke ein Blatt Papier und begann zu lesen.

»1770 stellte Baron Wolfgang von Kempelen der österreichischen Kaiserin eine Wundermaschine vor. Eine Figur aus Holz, groß wie ein Mensch, saß vor einem Schachbrett. Unter dem Brett war ein Kasten mit Zahnrädern, Walzen, Scheiben, Zügen und Rollen. Die Holzfigur war gekleidet wie ein Türke. Gäste konnten den Schachtürken zu einer Partie herausfordern. Der Baron zog vor dem Spiel den Apparat mit einem Schlüssel auf. Dann bewegte der Schachtürke mit seinem hölzernen Arm die Figuren auf dem Schachbrett. Er gewann fast jede Partie. Der Baron zog mit ihm durch Europa. Der Schachtürke wurde berühmt, der Automat spielte gegen die größten Schachspieler seiner Zeit. Wissenschaftler versuchten seine Mechanik zu begreifen. Es gab Bücher über ihn, Denkschriften, Zeitungsartikel und Vorträge. Niemand verstand, wie er funktionierte. Auch Napoleon und Benjamin Franklin verloren gegen ihn. Edgar Allan Poe schrieb über ihn und viel später auch ein deutscher Bundespräsident. Der Automat verbrannte 1854 in einem Museum in Philadelphia.«

Eschburg machte eine kurze Pause. Er trank einen Schluck Wasser. Die Richter und die Staatsanwältin sahen ihn an. Es war vollkommen still im Gerichtssaal. Biegler hatte sich zurückgelehnt, er hatte die Hände über dem Bauch gefaltet und die Augen geschlossen.

»Natürlich war der Schachtürke nur ein Trick. Kein Apparat dieser Zeit hätte wirklich Schach spielen können. Eingeklemmt zwischen der Mechanik, saß ein Mensch, er spielte die Partien. Das Besondere war aber gar nicht der Schachtürke. Das Außergewöhnliche war Wolfgang von Kempelen selbst. Er war kein Betrüger. Er war ein begabter Wissenschaftler, ein gebildeter Mensch und hoher Beamter. Er leitete die österreichische Salzgewinnung im Banat. Er verfasste Theaterstücke und stach Landschaftsbilder. Später erfand er eine Schreibmaschine für Blinde und einen Apparat, der ganze Sätze sprechen konnte. Während immer neue Theorien aufgestellt wurden, wie der Schachautomat funktioniere, sagte Kempelen jedem offen, dass er auf Täuschung beruhe. Nur: Niemand wollte das hören.«

Eschburg legte das Blatt auf den Tisch. Er sah seine Richter direkt an. Dann setzte er sich wieder.

Biegler überreichte dem Vorsitzenden den Text.

»Ist das Ihre Erklärung?«, fragte der Vorsitzende Eschburg. Seine Stimme klang ein wenig heiser.

»Ja«, sagte Eschburg.

»Auch Ihre Unterschrift?«

Eschburg nickte.

»Dann nehmen wir die Erklärung zum Protokoll der Hauptverhandlung.« Der Vorsitzende gab das Blatt der Protokollführerin. Er wandte sich an Eschburg: »Was ich jetzt sage, habe ich nicht mit der Kammer besprochen. Ich möchte trotzdem, dass Sie es wissen: Ich verstehe Sie nicht. Sie stehen hier unter Mordanklage. Sie waren über vier Monate in Untersuchungshaft und jetzt erzählen Sie uns etwas von einem *Schachtürken*?«

»Ich habe bereits gesagt, dass mein Mandant keine Fragen beantworten wird«, sagte Biegler, ohne seine Haltung zu verändern und ohne die Augen zu öffnen. »Vielleicht wäre es hilfreich, wenn Sie ein wenig über die Erklärung nachdenken würden.«

Landau sah wütend aus. »Das ist doch keine sinnvolle Einlassung zur Anklage«, sagte sie.

»Doch, das ist es«, antwortete Biegler und öffnete die Augen. »Und wenn ich noch einen Satz hinzufügen darf: Unser Ausdruck *getürkt* stammt von diesem Schachtürken.«

Der Vorsitzende hob die Hand. Er sah Eschburg wieder an. »Sie haben einen erfahrenen Verteidiger, Herr von Eschburg. Sie haben sich sicher mit ihm beraten. Trotzdem verstehe ich nicht, was Sie sagen.« Der Vorsitzende wartete eine Weile. Eschburg reagierte nicht. Der Vorsitzende zuckte mit den Schultern und wandte sich an Biegler. »Es bleibt also dabei, keine Fragen an den Angeklagten?«

»Dabei bleibt es«, sagte Biegler.

»Gibt es sonst noch weitere Anträge oder Erklärungen?«, fragte der Vorsitzende.

»Ja«, sagte Biegler. Er öffnete die Augen und lehnte sich nach vorne. »Der zweite Teil der Erklärung des Angeklagten ist ein Video. Wir werden es jetzt mit der Erlaubnis des Gerichtes abspielen.«

Die beiden Wachtmeister zogen die gelben Vorhänge zu. Der Saal lag im Halbdunkel. Biegler schaltete mit einer Fernbedienung den großen Bildschirm ein. Der Fernseher stand so hinter der Richterbank, dass alle im Saal zusehen konnten.

Es war ein computeranimierter Film: Auf dem Bildschirm erschien der Schachtürke. Er bewegte seinen Arm und spielte gegen einen unsichtbaren Gegner. Die Kamera zeigte das Schachbrett. Der Schachtürke spielte immer schneller, er warf die Figuren vom Brett. Am Schluss waren nur noch der schwarze König, zwei schwarze Türme und ein weißer Bauer übrig. Auf dem Bildschirm sah man jetzt die Figuren in Großaufnahme. Der schwarze König und die Türme trugen die Roben von Richtern. Sie sahen auf den weißen Bauern herunter. Der Bauer verneigte sich. Dann wurde er flüssig, die weiße Masse lief über das Schachbrett und versickerte in dem Automaten.

Eine Tür unter dem Schachautomaten öffnete sich. Zwischen den Walzen und Zahnrädern kletterte eine junge nackte Frau aus dem Kasten, sie hatte die gleiche Farbe wie die Flüssigkeit. Sie stand mit dem Rücken zur Kamera. Sie drehte sich langsam um. Auf ihrer Haut waren Hunderte kleine schwarze Kreuze gezeichnet. Die Kamera zoomte auf ihr Gesicht. Es war das Gesicht von Eschburgs Halbschwester.

Links und rechts tauchten aus dem Dunkel zwei weitere Gesichter auf: Eschburg und Sofia. Alle drei Gesichter waren gleich groß und gleich hell. Ein Skalpell schnitt Sofias Augen- und Eschburgs Nasenpartie aus. Dann wurden beide Teile auf das Bild der Halbschwester geschoben, nur ihr Mund blieb stehen. Ein großer Radiergummi glättete die Nahtstellen. Das neue Gesicht war aus Sofia, Eschburg und der Schwester zusammengesetzt – und alle im Saal kannten es: Es war das Foto, das bei der Durchsuchung überall in Eschburgs Atelier hing und später in den Nachrichten und Zeitungen gezeigt wurde – es war die Frau, nach der die Polizei gesucht hatte.

Die Frau mit dem neuen Gesicht drehte sich um und ging zu dem Schachtürken. Sie hatte ein Gewehr in der Hand. Sie schoss auf den Kopf der Maschine. Die Kamera folgte den Schrotpatronen, der Kopf zersprang in Tausende winzige Kugeln. Sie waren dunkelgrün und formierten sich zu dem Text:

*»Auf den Strömen des windabgeworfenen Lichts«*

Danach schaltete sich der Fernseher ab.

Auf den Zuschauerbänken wurde es laut. Einige Journalisten rannten nach draußen, um ihre Redaktionen anzurufen. Die Wachtmeister öffneten die Vorhänge. Der Vorsitzende versuchte mehrmals, die Ruhe im Saal wiederherzustellen, dann sagte er einem der Wachtmeister, er solle die Namen der Störer notieren.

Als es wieder ruhig war, stand Biegler auf. »Herr Vorsitzender, dieser Film ist übrigens gleichzeitig mit der Vorführung hier im Gericht auf alle möglichen Videoplattformen im Internet gestellt worden. Ich darf Ihnen aber noch zwei Schriftstücke übergeben. Das erste ist eine DNA-Untersuchung der Halbschwester Eschburgs. Die Untersuchung ist zweifelsfrei, sie wurde unter notarieller Aufsicht vor einem Jahr von einem medizinischen Labor in Österreich vorgenommen. Die DNA des Blutes und der Hautschuppen, die in unserem Verfahren gefunden wurden, stimmt mit der DNA der Halbschwester überein.

Das zweite Schriftstück stammt von einer Polizeistation in Elgin in Schottland. Eschburgs Halbschwester ist auf meinen Wunsch gestern bei den Polizisten vorstellig gewesen. Sie hat sich mit ihren Dokumenten ausgewiesen. Sie geht dort in der Nähe auf ein Internat. Die Polizei hat mir gestern ein Foto von ihr übermittelt, das ich beigefügt habe. Sie ist die Frau mit den Kreuzen, die Sie in dem Video gesehen haben. Aber vor allem ist sie vollkommen lebendig.

Ich kann es auch anders sagen, Frau Staatsanwältin, meine Damen und Herren Richter: Sie haben keine Leiche gefunden, weil es keine Leiche gibt. Die verschwundene Frau existierte nie. Sie haben

Eschburg des Totschlags an einer Installation angeklagt.«

Nach dieser Erklärung wurde es so laut, dass der
Vorsitzende die Hauptverhandlung für diesen Tag
unterbrechen musste. Es dauerte lange, bis die Zuschauer den Saal geräumt hatten.

»Das war tatsächlich das Merkwürdigste, was ich jemals bei Gericht erlebt habe«, sagte Biegler, als er mit
Eschburg alleine war. »Sagen Sie, dass der Polizist Sie
foltern wollte, war doch Zufall, oder?«
     »Natürlich, das konnte ich nicht planen«, sagte
Eschburg. »Ich wusste aber, dass Sie daraus etwas
machen würden.«
     »Aber warum haben Sie das eigentlich inszeniert?
Es hätte schiefgehen können«, fragte Biegler. »Wozu
dieser wahnsinnige Aufwand? Für Ihre Schwester?
Für die Kunst? Die Wahrheit?«
     Eschburg sah ihn an. »Tizians Augen wurden am
Ende seines Lebens immer schlechter. Er malte seine
letzten Bilder mit den Fingern.«
     »Was meinen Sie damit?«, fragte Biegler.
     »Er ertrug nichts mehr zwischen sich und den Bil-
dern. Tizian malte mit sich selbst«, sagte Eschburg.
Er klang erschöpft, seine Wangen waren eingefallen.
     Biegler schüttelte den Kopf. »Ich hoffe, ich ver-
stehe es irgendwann, jetzt bin ich zu müde.« Er nahm

seinen Mantel von dem Garderobenständer und zog ihn an.

»Ich habe noch eine Frage, Herr Biegler, eine Freundin hat sie mir einmal gestellt. Nach alldem hier: Was ist Schuld?«, fragte Eschburg.

Biegler sah zum Richtertisch. Er dachte an die vielen Prozesse, die er in diesem Saal geführt hatte, an die Mörder und Drogendealer, an die verlorenen Menschen. »Der Wachtmeister bringt Sie in Ihre Zelle«, sagte er. »Sie können Ihre Sachen dort zusammenpacken, Sofia wird Sie in einer halben Stunde am Ausgang des Gefängnisses abholen. Seien Sie nett zu ihr, sie ist wirklich eine gute Frau.«

Als Biegler vor die Tür des Saales trat, rannten die Journalisten ihn fast um, sie schrien durcheinander. Hinter ihnen stand eine Frau in einem Hosenanzug, sie lehnte an der Wand. Biegler konnte die helle Narbe auf ihrer Stirn erkennen. Sie nickte ihm ruhig zu. Die Frau sah so aus, wie Eschburg Senja Finks immer beschrieben hatte. Biegler wollte zu ihr, aber die Journalisten ließen ihn nicht durch. Als er es endlich geschafft hatte, war sie verschwunden. Biegler zuckte mit den Schultern. »Schuld?«, dachte er, »Schuld – das ist der Mensch.«

Zwei Wochen später wurde Sebastian von Eschburg freigesprochen.

**Weiß**

Eschburg stieg hinter der Brücke in den Fluss. Das Wasser war kalt und drückte hart gegen die Gummistiefel. Er hatte die Weidentasche und die alte Angel dabei, aber er konzentrierte sich nicht auf das Fischen. Manchmal blieb er mitten im Fluss stehen, um eine Zigarette zu rauchen. Er zog das Etui mit dem Jadestein aus seiner Tasche und strich mit den Fingern über die japanischen Schriftzeichen auf der Innenseite. Er dachte an Sofia und er dachte an ihren Sohn. Bald würde er den Jungen zum Angeln mitnehmen. Er würde ihm beibringen, wie man die Leine auswirft und wo die Schattenplätze sind, an denen die Forellen während der heißen Tage stehen und wie man sie auf einem Stock über dem Feuer zubereitet. Er wusste nicht, ob er die Dinge richtig gemacht hatte und ob es das überhaupt gab, das Richtige.

Jeden Morgen stehen wir auf, dachte er, wir leben unser Leben, all die Kleinigkeiten, das Arbeiten, die Hoffnung, der Sex. Wir glauben, was wir tun, sei wichtig und wir würden etwas bedeuten. Wir glauben, wir wären sicher, die Liebe wäre sicher und die Gesellschaft und die Orte, an denen wir wohnen. Wir glauben daran, weil es anders nicht geht. Aber manchmal bleiben wir stehen, die Zeit bekommt einen Riss und in diesem Moment begreifen wir es: Wir können nur unser Spiegelbild sehen.

Dann kehren allmählich die Dinge zurück, das Lachen einer fremden Frau im Hausflur, die Nachmittage nach dem Regen, der Geruch nach nassem Leinen und nach Iris und nach dem dunkelgrünen Moos auf den Steinen. Und wir machen weiter, so, wie wir es immer getan haben und so, wie wir es immer tun werden.

Die Sommerfelder standen hell bis zum Ufer. Eschburg ging mit der Strömung abwärts. Er warf die Angel weit aus. Für einen kurzen Moment lag die Fliege auf dem Wasser, sie glänzte grün und rot und blau in der Sonne. Dann riss der Fluss sie mit sich.

## Hinweis

Die Ereignisse in diesem Buch beruhen auf wahren Begebenheiten.

»Wirklich?«, fragte Biegler.